COSTA RICA

PARQUES NACIONALES • NATIONAL PARKS

INCAFO
COSTA RICA

AGRADECIMIENTOS

Los autores expresan su agradecimiento al **Ministerio del Ambiente y Energía** por facilitarles el acceso a la base de datos del SINAC y por el permiso concedido para la publicación del mapa de las áreas protegidas, y a **The Leatherback Trust** por su apoyo y estímulo para la publicación de este libro. Igualmente, manifiestan su agradecimiento al M. Sc. Eduardo Madrigal, al Biol. Ricardo Zúñiga H., a la Srta. Clara Padilla y al Sr. Andrés Boza, por la revisión que realizaron del texto completo y por la gran cantidad de información que pusieron a disposición de los autores; y a las siguientes personas, quienes suministraron información, revisaron e hicieron correcciones al texto y ayudaron en muy diversas formas: Sr. Joaquín Alvarado (q.d.D.g.), Sr. Stanley Arguedas, Srta. Heisel Arias, Biol. Gerardo Barboza, Geogr. Luis Barquero, Ing. Carlos A. Calvo, M. Sc. Leda M. Castro, Lic. Sergio Chávez, Lic. Rolando Delgado, Srta. Yessenia Espinoza, M.S. Rafael Gutiérrez, Sr. Horacio Herrera, Ing. Luis G. Jiménez, Geogr. Rogelio Jiménez, Geogr. Sigifredo Marín, Ing. Sergio Martínez, M.S. Luis A. Mena, Biol. Guisselle Méndez, M.A.B. María H. Mora, Prof. Gerardo Morales, M. Sc. Rodolfo Ortiz, Ing. For. Emel Rodríguez, Biol. Juan Rodríguez, Lic. Miguel A. Rodríguez, Lic. Luis Rojas, Ing. Raúl Solórzano, M. Sc. Farid A. Tabash, Br. Karla P. Tapia, Biol. Adrián Ugalde, Ing. Ricardo Valerio, Sr. Wiendert Hensen, Sr. Andrés Hensen Madrigal y Sr. Guillermo A. Espinosa Mora.

ACKNOWLEDGEMENTS

The authors would like to express their gratitude to the **Ministry of the Environment and Energy** for having given them access to the SINAC database and for permission to publish the map of protected areas, and also to **The Leatherback Trust** for its support and encouragement in publishing this book. Likewise, our thanks go to M. Sc. Eduardo Madrigal, to Biol. Ricardo Zúñiga H., to Ms. Clara Padilla and to Mr. Andrés Boza for reviewing the whole text and for the large amount of information they made available to the authors. Thanks also to the following people, who provided information, reviewed and corrected the text and helped in different ways: Mr. Joaquín Alvarado (R.I.P.), Mr. Stanley Arguedas, Ms. Heisel Arias, (Biol.), Gerardo Barboza, (Geogr.), Luis Barquero, (Ing.), Carlos A. Calvo, M. Sc. Leda M. Castro, Lic. Sergio Chávez, (Lic.), Rolando Delgado, (Lic.), Ms. Yessenia Espinoza, M.S. Rafael Gutiérrez, Mr. Horacio Herrera, Ing. Luis G. Jiménez, Rogelio Jiménez (Geogr.), Sigifredo Marín (Geogr.), Ing. Sergio Martínez, M.S. Luis A. Mena, Ing. Guisselle Méndez, M.A.B. María H. Mora, Prof. Gerardo Morales, M. Sc. Rodolfo Ortiz, Ing. For. Emel Rodríguez, Juan Rodríguez, Lic. Miguel A. Rodríguez, Lic. Luis Rojas, Lic. Raúl Solórzano, M. Sc. Farid A. Tabash, Br. Karla P. Tapia, Biol. Adrián Ugalde, Ing. Ricardo Valerio, Mr. Wiendert Hensen, Mr. Andrés Hensen Madrigal and Mr. Guillermo A. Espinosa Mora.

Tercera edición, 2005

Publicado por / Published by: *Incafo Costa Rica*
Director para / Director for Costa Rica: *Ricardo Zúñiga H.*
Tel.: (506) 223 46 68
e-mail: incafo@racsa.co.cr

Edita / Edited by: *Ediciones San Marcos,* Madrid

Directora Editorial / Editorial Director: *Margarita Méndez de Vigo*

Producción / Production: *Diego Blas, Luis Blas, Teresa Solana*

Traducción / Translation: *Lesley Ashcroft*

Diseño / Design: *Alberto Caffaratto*

Fotomecánica y Filmación / Process engraving: *Cromotex,* Madrid
Impresión / Printing: *Gráficas Palermo,* Madrid
Encuadernación / Binding: *Alfonso y Miguel Ramos,* Madrid

I.S.B.N.: 84-89127-45-X
Depósito Legal / Legal Deposit: M-54.165-2003

COSTA RICA

PARQUES NACIONALES · NATIONAL PARKS

MARIO A. BOZA

CON LA COLABORACIÓN DE / WITH THE COLLABORATION OF

JUAN H. CEVO
QUIRICO JIMÉNEZ
RICARDO ZÚÑIGA

San José, Costa Rica
2005

CONTENIDO

Contents

Introducción

Los parques nacionales y las reservas equivalentes de Costa Rica conservan lo mejor del patrimonio natural y cultural de la nación. Estas áreas silvestres superlativas protegen la mayor parte de las 243 especies de mamíferos, 857 de aves, 182 de anfibios, 235 de reptiles y 916 de peces marinos y de agua dulce que se han encontrado en el país y de las 360.000 especies de insectos que se estima existen en Costa Rica. Preservan también la casi totalidad de las 10.979 especies de plantas vasculares que se han identificado –de las que unas 1.600 son orquídeas–, y 2.564 de algas y hongos, lo que corresponde aproximadamente a un 4 % del total de especies de plantas que se han descrito en el mundo. Conservan también casi todos los macrotipos de vegetación existentes, tales como bosques deciduos, sabanas arboladas, bosques siempreverdes, vegetación arbustiva, bosques umbrófilos, pantanos, manglares, bosques lluviosos, páramos, pantanos herbáceos, selvas anegadas y bosques nublados; y otros ecosistemas como arrecifes de coral, playas arenosas y marismas.

Pero, además, el sistema de áreas protegidas contiene sitios de interés geológico y geofísico, como volcanes activos, fuentes termales, cavernas y relieves relictos del movimiento de placas tectónicas; histórico y arqueológico, como campos de batalla y asentamientos precolombinos; escénico, como cañones de ríos y cataratas; y, de excepcional importancia conservacionista, como islas donde nidifican pelícanos pardos y tijeretas de mar, áreas donde se encuentran los últimos remanentes de los bosques secos mesoamericanos y playas donde se observan grandes arribadas de tortugas marinas.

El sistema de parques nacionales y reservas equivalentes de Costa Rica comprende un total de 107 unidades divididas en 11 áreas de conservación.

Adicionalmente, todos los manglares del país están declarados reservas forestales y son de propiedad estatal; no obstante, debido a su fraccionamiento y dispersión, en este libro no se hace referencia específica a cada uno de ellos. La superficie terrestre total cubierta por todas las áreas que integran el sistema es de 1.256.690 ha, excluyendo los manglares no comprendidos en otras categorías de manejo, lo que representa el 24,6 % de la superficie del país. Sin embargo, lo que está realmente protegido por el Ministerio del Ambiente y Energía, por otras instituciones del Estado y por organizaciones conservacionistas no gubernamentales, corresponde a unas 824.500 ha, que equivalen aproximadamente al 16,2 % del territorio nacional. Estas áreas protegidas, a causa de la notable diversidad y riqueza biológica que poseen, se han convertido en una verdadera "meca" para los ecoturistas, los naturalistas y los investigadores que desean admirar y estudiar la exuberancia de la naturaleza tropical costarricense.

El sistema de áreas protegidas del país constituye un eslabón importante del Corredor Biológico Mesoamericano, un trascendental proyecto que se lleva a cabo para mantener, y en algunos casos restaurar, una ruta verde de vegetación natural que permita el libre flujo de especies a lo largo de toda la región y para promover la conservación de la extraordinaria diversidad biológica de esta parte del mundo. Mediante su conexión con similares corredores regionales que se desarrollan en Norte y Suramérica, la Sociedad para la Conservación de la Vida Silvestre (WCS), está promoviendo la conformación del Corredor Ecológico de las Américas, que se extendería desde el estrecho de Bering hasta Tierra del Fuego para formar parte de una red mundial de corredores regionales propuesta por la Unión Mundial para la Naturaleza (UICN).

INTRODUCTION

THE NATIONAL PARKS AND RESERVES OF COSTA RICA conserve the best of the nation's natural and cultural heritage. These superlative wildlands protect the greater part of the 243 mammal species, 857 bird species, 182 amphibians, 235 reptiles and 916 salt and freshwater fishes that have been recorded in the country as well as the 360,000 species of insects that are thought to exist there.

They also preserve almost all the 10,979 species of vascular plants that have been identified. Around 1,600 of these are orchids, and 2,564 of fungus and algae, which is the approximate equivalent of 4 % of the total number of species that exist in the world. They also conserve almost all the existing vegetation macrotypes, such as deciduous woodland, forested savannah, evergreen forests, scrub, umbrophilic forest, mangrove swamps, rainforests, páramos, herbaceous swamps, flooded forest and cloud forest, together with other ecosystems like coral reefs, sandy beaches and marshes.

Furthermore, the network of protected areas contains sites that are interesting from a geological and geophysical point of view, such as active volcanoes, thermal springs, caves and relict relief resulting from the movement of tectonic plates. There are also sites of historic and archeological interest, such as battle fields and pre-Columbian settlements. There are scenic places like river canyons and waterfalls, and sites of exceptional importance for conservation like the islands where the brown pelican and magnificent frigatebirds nest, or where the last remnants of dry Central American forests are found, and beaches where large numbers of sea turtles can be seen hauling out.

The network of national parks and reserves in Costa Rica comprises a total of 107 units divided into 11 conservation areas. Furthermore, all the mangrove areas in the country have been declared forest reserves and belong to the State. However, due to their fragmented and dispersed nature, in this book they are not mentioned individually. The total surface of all the areas in the network is 1,256,690 hectares, excluding the mangroves not included in other management categories, which represent 24.6 % of the land in the country. However, the land that is truly protected by the Ministry of the Environment and Energy, by other state bodies and by non-governmental conservation organizations corresponds to some 824,500 hectares, approximately 16.2 % of the country. Because of the considerable diversity and biological richness they possess, these protected areas have become a veritable 'mecca' for nature-loving tourists, naturalists and researchers, who wish to admire and study the exhuberance of Costa Rica's tropical nature.

The system of protected areas constitutes an important link in the Mesoamerican Biological Corridor, a far-reaching project that is being carried out to maintain and, in some cases restore, a green route of natural vegetation to permit the free flow of species across the region, and to promote the conservation of the extraordinary biological diversity of this part of the world. Through their connection with similar regional corridors being planned for North and South America, the Wildlife Conservation Society is promoting the creation of the Ecological Corridor of the Americas, which will run from the Bering Strait to Tierra del Fuego to form part of a worldwide network of regional corridors proposed by the IUCN,

Áreas de Conservación / Conservation Areas

Área de Conservación Guanacaste

1 Parques Nacionales Santa Rosa y Guanacaste
2 Parque Nacional Rincón de la Vieja
3 Refugio Nacional de Fauna Silvestre Bahía Junquillal
4 Estación Experimental Forestal Horizontes

Área de Conservación Tempisque

1 Reserva Biológica Lomas Barbudal
2 Parque Nacional Palo Verde
3 Parque Nacional Marino Las Baulas de Guanacaste
4 Parque Nacional Barra Honda
5 Refugio Nacional de Fauna Silvestre Ostional
6 Reservas Biológicas Guayabo, Negritos y de los Pájaros
7 Refugio Nacional de Vida Silvestre Curú
8 Reserva Natural Absoluta Cabo Blanco
9 Refugio Nacional de Vida Silvestre Iguanita
10 Humedal Riverino Zapandí
11 Reserva Forestal Taboga
12 Humedal Laguna Madrigal
13 Humedal Palustrino Corral de Piedra
14 Refugio Nacional de Vida Silvestre Laguna Mata Redonda
15 Refugio Nacional de Vida Silvestre Bosque Nacional Diriá
16 Humedal Río Cañas
17 Refugio Nacional de Vida Silvestre Camaronal
18 Zona Protectora Cerro La Cruz
19 Zona Protectora Nosara
20 Zona Protectora Península de Nicoya
21 Zona Protectora Abangares
22 Reserva Natural Absoluta Nicolás Wessberg

Área de Conservación Cordillera Volcánica Central

1 Parque Nacional Braulio Carrillo
2 Monumento Nacional Guayabo
3 Parque Nacional Volcán Irazú
4 Zona Protectora La Selva
5 Parque Nacional Volcán Poás
6 Refugio Nacional de Vida Silvestre Bosque Alegre
7 Zona Protectora Río Toro
8 Zona Protectora El Chayote
9 Reserva Forestal de Grecia
10 Reserva Forestal Cordillera Volcánica Central
11 Zona Protectora Río Grande
12 Zona Protectora Cerros de La Carpintera
13 Zona Protectora Río Tiribí
14 Reserva Forestal Rubén Torres Rojas
15 Humedal Lacustrino Bonilla-Bonillita
16 Parque Nacional Volcán Turrialba
17 Zona Protectora Cerro Atenas

Área de Conservación Llanuras del Tortuguero

1 Parque Nacional Tortuguero y Refugio Nacional de Fauna Silvestre Barra del Colorado
2 Zona Protectora Tortuguero
3 Zonas Protectoras Acuíferos de Guácimo y Pococí
4 Refugio Nacional de Vida Silvestre Archie Carr

Áreas de Conservación Amistad-Caribe y Amistad-Pacífico

1 Reserva de la Biosfera La Amistad
2 Parque Nacional Cahuita
3 Refugio Nacional de Vida Silvestre Gandoca-Manzanillo
4 Zona Protectora Cuenca del Río Banano
5 Zona Protectora Pacuare
6 Parque Nacional Barbilla
7 Humedal Nacional Cariari
8 Reserva Forestal Pacuare-Matina
9 Refugio Nacional de Vida Silvestre Limoncito
10 Zona Protectora Río Navarro y Río Sombrero
11 Parque Nacional Tapantí-Macizo Cerro de la Muerte
12 Zona Protectora Cuenca del Río Tuis
13 Zona Protectora Las Tablas
14 Humedal de San Vito
15 Humedal Palustrino Laguna del Paraguas

Área de Conservación Osa

1 Parque Nacional Marino Ballena
2 Reserva Biológica Isla del Caño
3 Parque Nacional Corcovado
4 Refugio Nacional de Fauna Silvestre Golfito
5 Humedal Nacional Térraba-Sierpe
6 Reserva Forestal Golfo Dulce
7 Parque Nacional Piedras Blancas
8 Humedal Lacustrino Pejeperro-Pejeperrito

Área de Conservación Pacífico Central

1 Parque Nacional Carara
2 Parque Nacional Manuel Antonio
3 Zona Protectora Tivives
4 Zona Protectora El Rodeo
5 Zona Protectora Cerros de Escazú
6 Zona Protectora Caraigres
7 Zona Protectora Cerros de Turrubares
8 Refugio Nacional de Vida Silvestre Fernando Castro Cervantes
9 Parque Nacional La Cangreja
10 Zona Protectora Cerro Nara
11 Reserva Forestal Los Santos
12 Zona Protectora Montes de Oro
13 Refugio Nacional de Vida Silvestre Finca Barú del Pacífico
14 Refugio Nacional de Vida Silvestre Portalón
15 Reserva Biológica Cerro Las Vueltas

Áreas de Conservación Arenal-Tilarán y Arenal-Huetar Norte

1 Parques Nacionales Volcán Arenal y Volcán Tenorio
2 Refugio Nacional de Vida Silvestre Caño Negro
3 Zona Protectora Arenal-Monteverde
4 Reserva Biológica Alberto Manuel Brenes
5 Parque Nacional Juan Castro Blanco
6 Refugio Nacional de Vida Silvestre Corredor Fronterizo Costa Rica-Nicaragua
7 Refugio Nacional de Vida Silvestre Laguna Las Camelias
8 Zona Protectora Miravalles
9 Reserva Forestal Cerro El Jardín
10 Reserva Forestal Cureña-Cureñita
11 Humedal Palustrino Laguna Maquenque
12 Humedal Lacustrino de Tamborcito

Área de Conservación Isla del Coco

1 Parque Nacional Isla del Coco

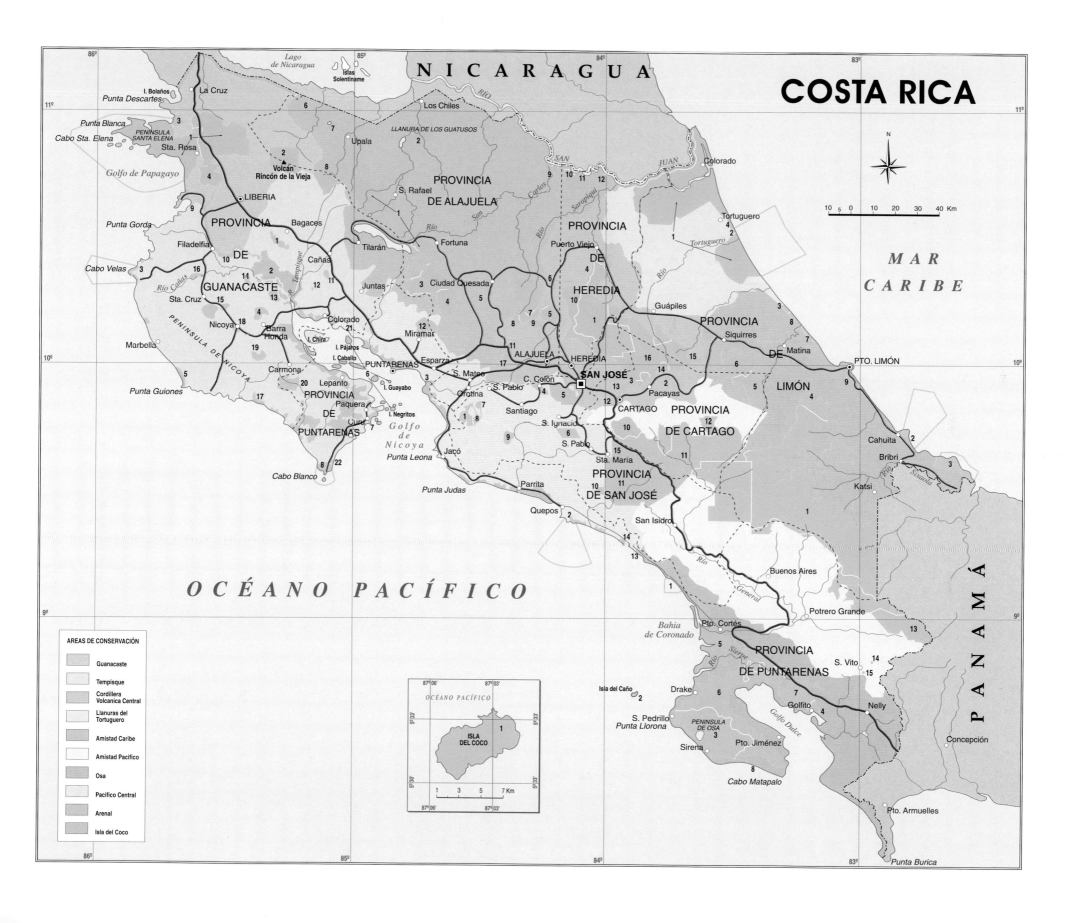

GUANACASTE

EL GUANACASTE (DERECHA) ES EL ÁRBOL nacional de
Costa Rica. Esta corpulenta leguminosa, de rápido
crecimiento, es característica de las tierras bajas
del Pacífico costarricense. Sus verdes frutos
(abajo) poseen semillas muy codiciadas tanto por
las aves como por los mamíferos. A la izquierda,
una tortuga baula comenzando su nidificación
en una playa de esta área de conservación.

THE EAR TREE (RIGHT) IS COSTA RICA'S national tree.
This stout, leguminous, fast-growing tree is
typical of Costa Rica's Pacific lowlands. Its green
fruits (below) contain seeds that are highly
sought after by birds and mammals alike.
On the left, a leatherback turtle initiates nesting
on a beach in this conservation area.

PARQUES NACIONALES
SANTA ROSA Y GUANACASTE

EL ÁREA DE CONSERVACIÓN GUANACASTE (ACG), declarada por la UNESCO Sitio del Patrimonio Mundial en 1999, se maneja como una sola unidad dividida en sectores o secciones –dentro de los cuales se incluyen estaciones biológicas– y en una estación experimental forestal; cada sección está a cargo de un administrador. Los parques Santa Rosa y Guanacaste constan de las siguientes 9 secciones: Santa Rosa, Naranjo, Murciélago, Islas Murciélago, Pocosol, El Hacha, Pitilla, Orosí y Cacao.

La mayor parte de estos dos parques se localiza en la meseta de Santa Rosa, un producto de depósitos de nubes ardientes de 3-4 millones de años de antigüedad, que corresponde con la región climática denominada Pacífico Seco. Algunos de los hábitats más reconocibles que se encuentran aquí son los antiguos pastizales, ralamente cubiertos por una gramínea procedente de África, el jaragua (Hyparrhenia rufa) y salpicados por diversas especies de árboles pioneros, como el raspaguacal (Curatella americana), que terminarán por eliminar el pasto; los bosques deciduos, con unas 240 especies de árboles y arbustos, entre ellos el guanacaste (Enterolobium cyclocarpum), –el árbol nacional–, el cocobolo (Dalbergia retusa), la caoba (Swietenia macrophylla) –especie en peligro de extinción– y Ateleia herbert-smithii, cuya única localidad conocida es el Parque Nacional Santa Rosa; los bosques de encino (Quercus oleoides), los bosques siempreverdes y los bosques ribereños, donde se observan el guapinol (Hymenaea courbaril) y el ojoche (Brosimum alicastrum); los pantanos de mezquite-nacascol (Prosopis juliflora-Caesalpinia coriaria); los bosques achaparrados, muy espinosos, donde se pueden observar ágaves y cactos y, por último, la vegetación de playa y los manglares, con especies como el mangle rojo (Rhizophora mangle) y el palo de sal (Avicennia germinans).

A esta variedad de hábitats corresponde una fauna rica y diversa. Tanto en el bosque seco como en el resto del ACG se han observado 115 especies de mamíferos, de las que más de la mitad son murciélagos. Algunos de los más conspicuos son el venado (Odocoileus virginianus), el pizote (Nasua narica) y el mono congo (Alouatta palliata). Además, existen unas 300 especies de aves, como la urraca copetona (Calocitta formosa), la aratinga frentinaranja o catano (Aratinga canicularis) y el busardo-negro

Vista general de la bella playa Naranjo en el Parque Nacional Santa Rosa, con la isla Peña Bruja, una reliquia erosiva de roca sedimentaria con una antigüedad de 60 millones de años.

Overall view of lovely Naranjo Beach in Santa Rosa National Park, with Peña Bruja Island, an erosive relict piece of sedimentary rock 60 million years old.

SANTA ROSA AND GUANACASTE NATIONAL PARKS

THE GUANACASTE CONSERVATION AREA (GCA), declared a UNESCO World Heritage Site in 1999, is managed as a single unit divided into sectors or sections which include biological stations and one experimental forest station. Each section is the responsibility of an administrator. Santa Rosa and Guanacaste Parks are made up of the following 9 sections: Santa Rosa, Naranjo, Murciélago, Murciélago Islands, Pocosol, El Hacha, Pitilla, Orosí and Cacao.

The greater part of these two parks lies within the Santa Rosa Plateau, which is a result of deposits of glowing cloud eruptions 3,4 million years old, and which corresponds to the climatic region known as Dry Pacific. Some of the most recognizable habitats found here are: the old grasslands, sparsely covered in jaragua grass (Hyparrhenia rufa) from Africa and dotted with several species of pioneer trees, such as the rough-leaf tree (Curatella americana), which will end up eliminating the grassland; deciduous woodland with some 240 species of trees and bushes, including the ear tree (Enterolobium cyclocarpum), which is the national tree, rosewood (Dalbergia retusa), mahogany (Swietenia macrophylla), a species threatened with extinction, and Ateleia herbert-smithii, which is only known from Santa Rosa Park; forests of evergreen oak (Quercus oleoides), evergreen forests and riverine woodland where the locust (Hymenaea courbaril) and the cow tree (Brosimum alicastrum) are found; the mezquite-nacascol swamps (Prosopis juliflora-Caesalpinia coriaria); very thorny stunted forests where agaves and cacti occur; beach vegetation, and mangrove swamps with species of red mangrove (Rhizophora mangle) and black mangrove (Avicennia germinans).

There is rich and varied animal life in this variety of habitats. Both in the dry forest and in the rest of the GCA 115 species of mammals, more than half of which are bats, have been recorded. Some of the most conspicuous are the white-tailed deer (Odocoileus virginianus), the white-nosed coati (Nasua narica) and the howler monkey (Alouatta palliata). What is more, there are around 300 species of birds, such as the white-throated magpie-jay (Calocitta formosa), the orange-fronted parakeet (Aratinga canicularis) and the common black-

EL CERRO CACAO ES UN ESTRATOVOLCÁN que ha permanecido dormido durante miles de años y cuyas laderas se encuentran tapizadas por un bosque húmedo siempreverde muy rico en orquídeas y helechos.

CACAO HILL IS A STRATOVOLCANO that has remained dormant for thousands of years; its slopes are covered in moist evergreen forest very rich in orchids and ferns.

norteño o gavilán cangrejero *(Buteogallus anthracinus)*, unas 100 de anfibios y reptiles, y se estima que puede haber más de 30.000 de insectos, entre las que más de 5.000 serían especies de mariposas diurnas y nocturnas. Tres especies de peces muy comunes en estas aguas son los jureles *(Caranx* sp.), los peces loro *(Scarus compressus)* y los pargos mancha *(Lutjanus guttatus)*. De enero a marzo se pueden observar ballenas jorobadas *(Megaptera novaeangliae)* con sus ballenatos.

Las bellas playas Naranjo y Nancite son importantes lugares de desove para las tortugas marinas, principalmente loras *(Lepidochelys olivacea)*, baulas *(Dermochelys coriacea)* –la más grande de todas– y verdes del Pacífico *(Chelonia agassizi)*. Nancite, después del Refugio Nacional de Fauna Silvestre Ostional, es la playa con una mayor frecuencia de arribadas de tortugas loras en todo el Pacífico oriental. En ella se localiza una estación biológica. Otras especies abundantes en las playas son las almejas *(Donax* sp.), los caracoles *(Olivella* sp.) y los cangrejos fantasma *(Ocypode gaudichaudii)*, violinista *(Uca* sp.),

ermitaño *(Coenobita compressa)*, jaiba *(Callinectes arcutus)* y topo *(Emerita* sp.). En las costas rocosas, a lo largo de la península de Santa Elena, se observan algas verdes *(Enteromorpha* spp.), moluscos como los cascos de mula *(Siphonaria gigas)* y las cucarachas de mar *(Chiton stokesii)*, y equinodermos como los pepinos de mar *(Holothuria* sp.). Se han encontrado también 11 especies de corales, particularmente alrededor de las islas Murciélago, incluyendo el coral negro *(Anthipayes* sp.) y los cerebriformes *Gardineroseris planulata* –que casi ha desaparecido del Pacífico oriental– y *Pavona gigantea* –cuyas únicas colonias en todo el Pacífico oriental se encuentran en estas aguas. La playa Naranjo presenta condiciones ideales para practicar el *surf*.

La sección Santa Rosa es una de las áreas de mayor importancia histórica del país. Los corrales de piedra que aquí se pueden admirar proceden de la época colonial y fueron escenario de la batalla del 20 de marzo de 1856 contra los filibusteros, en defensa de la soberanía nacional. La actual Casona es una reciente

EL BOSQUE SECO O BOSQUE DECIDUO (derecha), uno de los hábitats más característicos de estos dos parques nacionales, alberga más de 240 especies de árboles y arbustos. Arriba, islas litorales en la península de Santa Elena.

DRY FOREST OR DECIDUOUS FOREST (right), one of the most typical habitats in these national parks, hosts over 240 species of trees and shrubs. Above, coastal islands on Santa Elena Peninsula.

hawk (Buteogallus anthracinus), and around 100 amphibians and reptile species. It is estimated that there may be over 30,000 species of insects, including over 5,000 species of moths and butterflies. Three very common species of fish in these waters are crevalle jack (Caranx sp,), parrot fish (Scarus compressus) and spotted rose snapper (Lutjanus guttatus). From January to March humpback whales (Megaptera novae-angliae) can be spotted with their calves.

The beautiful beaches of Naranjo and Nancite are important laying sites for sea turtles, mainly olive ridley (Lepidochelys olivacea), leatherback (Dermochelys coriacea), the biggest of all, and Pacific greens (Chelonia agassizi). After Ostional National Wildlife Refuge, Nancite is the beach that is most often visited by olive ridley turtles in the entire Eastern Pacific. There is a biological station there. Other abundant species on the beaches are clams (Donax sp.), snails (Olivella sp.) and crabs, such as Ocypode gaudichaudii, Uca sp., Coenobita compressa, Callinectes arcutus and Emerita sp.

On the rocky coasts along the Santa Elena Peninsula there are green algae (Enteromorpha sp.), molluscs like the limpet Siphonaria gigas, and chitons (Chiton stokesiis) as well as echinoderms, such as sea cucumbers (Holothuria sp.). Eleven species of coral have also been found, particularly around the Murcielago Islands, including black coral (Anthipayes sp.) and the brain corals Gardineroseris planulata, which has almost disappeared from the Eastern Pacific – and Pavona gigantea – whose only colonies throughout the Eastern Pacific are found in these waters. Naranjo Beach offers ideal conditions for surfing.

The Santa Rosa sector is one of the most historically important areas in the country. The stone corrals from the colonial era that can be admired here were the scene of a battle on 20 March 1856 against the filibusters in defence of national sovereignty. The present Casona is a recent reconstruction of the old one, which was destroyed by a fire in 2001 and which was 108 years old although its base is colonial. The old casona was also the scene of conflict in 1919 and 1955.

La Casona (izquierda), recientemente reconstruida tras el incendio de 2001, es uno de los edificios de mayor importancia histórica de Costa Rica. Allí fueron derrotados los filibusteros en 1856. Arriba, una tortuga baula.

La Casona (left), recently rebuilt after a fire in 2001, is one of the most historically important buildings in Costa Rica. It was there that the filibusters were defeated in 1856. Above, a leatherback turtle.

AL NORTE DE LA PENÍNSULA DE SANTA ELENA, muy cerca de la frontera con Nicaragua se localiza la isla Bolaños, un peñón de 81 metros de altura y 25 hectáreas de superficie. Hasta la fecha, es el único lugar conocido en Costa Rica en el que nidifican las tijeretas de mar y los ostreros.

NORTH OF THE SANTA ELENA PENINSULA and very close to the border with Nicaragua is Bolaños Island, 25 hectares of rock 81 meters high. It is the only known nesting site in Costa Rica for frigate birds and oystercatchers.

reconstrucción de la anterior, que fue destruida por un incendio en el 2001, y que contaba con unos 108 años de existencia, aunque su base sí es colonial. Esta antigua casona había sido también escenario de conflictos bélicos en 1919 y 1955.

La península de Santa Elena es una de las áreas más secas (unos 1.200 mm por año) y la más vieja del país; se trata principalmente de un afloramiento de peridotita (roca característica del fondo marino rica en magnesio y níquel), de unos 85 millones de años de antigüedad. En ese tiempo la península de Santa Elena era una isla en medio del océano y lo único que existía de la actual Costa Rica. Al este de la península las peridotitas están cubiertas por rocas volcánicas, y en el norte y sureste se encuentran formaciones sedimentarias con calizas arrecifales. Se han encontrado aquí fósiles de bivalvos del Cretácico Superior (95-65 millones de años); esta formación, denominada localmente marmolita, se caracteriza por su bello color rojizo, por

lo cual fue explotada en el pasado para decorar paredes y pisos de edificios.

Santa Elena posee una vegetación muy característica que está constituida por pastizales de *Trachypogon*, encinares (*Quercus oleoides*), bosques altos semideciduos –con grandes árboles de caoba (*Swietenia macrophylla*) y chicle o níspero (*Manilkara chicle*)–, manglares –el de Potrero Grande cubre unas 140 ha–, humedales –el de punta Respingue está cubierto por el pasto *Phragmites australis*– y bosques enanos –con vegetación de 2 a 10 m de alto como el indio desnudo enano (*Bursera glabra*), además de ágaves (*Agave seemanniana*) y cactos. La laguna Respingue y el manglar de Potrero Grande fueron incorporados a la Lista de Humedales de Importancia Internacional de Ramsar en 1999.

La isla Bolaños, situada al norte de esta península y parte del parque Santa Rosa, es un peñón de 81 m de altura, de forma ovalada y topografía irregular, situado a 1,5 km de la costa de

The Santa Elena Peninsula is one of the driest (about 1,200 mm per year) and oldest parts of the country. It consists chiefly of an outcrop of peridotite (rock typical of marine beds rich in magnesium and nickel) about 875 million years old. At that time the Santa Elena Peninsula was an island in the middle of the ocean and the only part of today's Costa Rica that existed then. To the east of the peninsula, the peridotite rocks are covered in volcanic rock, and in the north and south-east there are sedimentary landforms with limestone reefs. Bivalve fossils from the Upper Cretaceous (95-64 million years ago) have been found here. Known locally as marmolite, this landform features a lovely red colour, for which it was exploited in the past to decorate the walls and floors of buildings.

Santa Elena has very characteristic vegetation consisting of grasslands of *Trachypogon*, holm oak stands *(Quercus oleoides)*, tall semi-deciduous forests – with large mahogany trees *(Swie-*

tenia macrophyla) and pittier *(Manilkara chicle)* –, mangrove swamps – the Potrero Grande covers about 140 hectares –, wetlands, – Punta Respingue is covered in *Phragmites australis* grass– and dwarf forest – with vegetation from 2 to 10 meters high such as *Bursera glabra*, as well as agaves *(Agave seemanniana)* and cacti. Respingue Lagoon and Potrero Grande Lagoon were included on the Ramsar's List of Wetlands of International Importance in 1999.

Bolaños Island, located north of this peninsula and part of Santa Rosa Park, is an 81-meter-high oval rock of irregular topography situated 1.5 km from the coast of Descartes Point. This island is especially important for bird conservation since it protects one of the few areas known in the country where colonies of brown pelicans *(Pelecanus occidentalis)*, numbering 500 to 600 birds, nest among the scarce vegetation. This is the only known nesting site of magnificent frigatebirds *(Fregata*

UNA DE LAS MÁS HERMOSAS PLAYAS que posee el Parque Nacional Santa Rosa es la de Naranjo. Esta playa, junto a la de Nancite, situada un poco más al norte, constituyen importantes lugares de desove para las tortugas marinas, principalmente loras, baulas y verdes del Pacífico.

ONE OF THE LOVELIEST BEACHES in Santa Rosa National Park is Naranjo Beach. Together with Nancite Beach, a little further north, it contains important laying sites for marine turtles, chiefly Atlantic ridleys, leatherbacks and Pacific greens.

VISTA DESDE EL CERRO CACAO, del Área de Conservación Guanacaste, declarada sitio del Patrimonio Mundial por la UNESCO en 1999.

VIEW OF GUANACASTE CONSERVATION AREA, declared World Heritage Site by UNESCO in 1999, seen from Cerro Cacao.

En el Parque Nacional Guanacaste se localizan las estaciones biológicas Cacao, Maritza y Pitilla. La Estación Biológica Cacao se encuentra en las faldas de este volcán, de 1.659 m de altitud. El Cacao es un estratovolcán que no ha presentado actividad en miles de años. Se observan en este macizo bosques húmedos siempreverdes y bosques nublados de vegetación achaparrada, con una notable abundancia de orquídeas y helechos. La estación se encuentra a unos 1.000 m de altitud y está acondicionada para alojar hasta 30 personas; cuenta con agua potable y radiocomunicación, y es de acceso restringido. Este sitio se encuentra a 51 km de Liberia, vía carretera Panamericana-Quebrada Grande-Góngora-estación, por caminos en parte pavimentados y en parte de tierra. Desde esta estación salen senderos que conducen a El Pedregal, a la cima del volcán y a la Estación Maritza. Existe un servicio de autobuses Liberia-Quebrada Grande; en esta última población hay pulperías.

La Estación Biológica Maritza se encuentra en las faldas del volcán Orosí, de 1.446 m de altitud. El Orosí es un estratovolcán de forma cónica bien desarrollada; su cráter se encuentra muy destruido y no ha presentado actividad en cientos o miles de años. Las faldas de este macizo están totalmente cubiertas por bosques húmedos y nubosos muy densos y en las partes más bajas se observan bosques secos y de galería. En este macizo nace el río Tempisque, uno de los más largos e importantes –como fuente de agua para irrigación– del país. De gran interés cultural en las inmediaciones de la estación es el área conocida como El Pedregal, donde se pueden observar cientos de petroglifos. La estación, que se encuentra a 650 m de altitud, está acondicionada para alojar a 32 personas y cuenta con agua potable y radiocomunicación. Este sitio se encuentra a 60 km de Liberia, vía carretera Panamericana-kilómetro 42-estación, por caminos en parte pavimentados y en parte de tierra.

punta Descartes. Esta isla tiene especial importancia para la conservación de las aves, ya que protege una de las pocas áreas que se conocen en el país donde nidifican sobre su escasa vegetación, colonias de pelícanos, alcatraces o buchones *(Pelecanus occidentalis)*, con un total de 500 a 600 ejemplares, y la única hasta ahora descubierta, donde nidifican los rabihorcados magníficos o tijeretas de mar *(Fregata magnificens)*, con unos 1.000 individuos, y los ostreros píos americanos *(Haematopus palliatus)*.

magnificens) with around 1,000 birds, and of American oyster-catchers *(Haematopus palliatus).*

Guanacaste National Park contains the Cacao, Maritza and Pitilla biological stations. Cacao Biological Station lies on the lower slopes of this 1,659 m high volcano. El Cacao is a strato-volcano that has been inactive for thousands of years. In this massif there are wet evergreen forests and cloud forests of thick vegetation with an abundance of orchids and ferns. The station is situated at 1,000 m, and is equipped to accommodate up to 30 people. It has drinking water and radiocommunication, and access is restricted. This site is 51 km from Liberia via Panamerican Highway-Quebrada Grande-Góngora, on roads that are partly asphalted and partly earth. From the station there are paths leading to El Pedregal, to the top of the volcano and to the Maritza Station. There is a bus service between Liberia and Quebrada Grande. In the latter town there are food shops.

The Maritza Biological Station is situated on the lower slopes of the 1,446 m high Orosí Volcano. The Orosí is a well-developed conical stratovolcano with a very worn crater that has not been active for hundreds or thousands of years. The lower slopes of this massif are totally covered in very dense moist forest and cloud forest, and in the lowest parts there are dry and gallery forests. One of the longest and most important rivers in the country, the River Tempisque, rises in this massif. It is a source of water for irrigation.

The area known as El Pedregal, close to the station, is of great cultural interest and it is possible to see hundreds of petroglyphs. The station is 650 m up. It is fitted out to accommodate 32 people and has drinking water and radiocommunication. This site is 60 km from Liberia via Panamerican Highway kilometer 42, on partly asphalted and partly earth roads.

The Pitilla Biological Station is on the Atlantic side 600 m up, and is totally surrounded by primary forest. In this zone the

Eₙ ESTOS DOS PARQUES NACIONALES la riqueza de predadores es notable. Entre ellos se encuentra el puma (arriba), uno de los carnívoros más ágiles y poderosos de Mesoamérica. A la izquierda, la coral escorpión, un reptil común en Santa Rosa.

Tₕₑₛₑ TWO NATIONAL PARKS host a considerable wealth of predators, including the puma (above), one of the most agile and powerful carnivores in Mesoamerica. On the left, the coral scorpion, a common reptile in Santa Rosa.

UNO DE LOS HÁBITATS CARACTERÍSTICOS de esta área protegida es el bosque achaparrado, caracterizado por especies provistas de espinas y en el que se desarrolla una vegetación xerofítica de ágaves y cactáceas.

ONE HABITAT TYPICAL of this protected area is stunted forest, which features species equipped with thorns and includes xerophytic vegetation consisting of agaves and cacti.

La Estación Biológica Pitilla se encuentra en la vertiente atlántica, a 600 m de altitud y está totalmente rodeada de bosques primarios. En esta zona la precipitación oscila entre 3.000 y 4.000 mm por año y es un lugar excelente para la observación de la avifauna. La estación está acondicionada para recibir a 20 personas y cuenta con agua potable y radiocomunicación. Dos de los senderos existentes se denominan El Nacho y La Campana. Esta estación se encuentra a 9 km de Santa Cecilia, por camino de tierra. Existe un servicio de autobuses Liberia-Santa Cecilia; en esta última población hay pulperías.

El Área de Conservación Guanacaste se encuentra al noroeste de la provincia de Guanacaste, cerca de la frontera con Nicaragua. La carretera Panamericana pasa en medio de los parques Santa Rosa y Guanacaste. A la administración principal y al Museo Histórico de Santa Rosa se llega vía San José-Liberia-parque (256 km), por carretera pavimentada. Las restantes vías internas son de lastre y tierra, por lo que se requiere el uso de vehículos todoterreno. El acceso a la playa Nancite y a la isla Bolaños está restringido. En la sección Santa Rosa se pueden visitar La Casona, que cuenta con un

precipitation varies between 3,000 and 4,000 mm per year and is an excellent place for wildlife watching. The station is equipped to accommodate 20 people, and is provided with drinking water and radiocommunication. Two of the existing paths are called El Nacho and La Campana. This station is located at Km 9 from Santa Cecilia along a dirt track. There is a bus service between Liberia and Santa Cecilia, where there are grocery shops. The Guanacaste Conservation Area is in the northwest of the province of Guanacaste near the border with Nicaragua. The Panamerican Highway passes through the middle of Santa Rosa Park

and Guanacaste Park. One can reach the main offices and the History Museum of Santa Rosa via San José and Liberia (256 km) along an asphalted road. The remaining internal thoroughfares are grit and earth so a four-wheel drive vehicle is required. Access to Nancite Beach and to Bolaños Island is restricted.

In the Santa Rosa sector it is possible to visit La Casona, which has a museum, and the viewing point-monument behind it. In this sector there are paths to El Indio Desnudo, Aceituno, Los Patos, Carbonal, Naranjo Valley and Naranjo Beach-

A LO LARGO DE LA COSTA del área protegida pueden encontrarse manchas de manglar. Una de ellas es la que forma el manglar de Playa Naranjo (centro). Abajo, pelícanos pescando en Playa Blanca.

THERE ARE PATCHES of mangrove along the coast of the protected area, like this mangrove swamp on Naranjo Beach (center). Below, pelicans catching fish at Playa Blanca.

*E*N AMBOS PARQUES LA FAUNA ES RICA Y VARIADA. *Arriba, una colonia de murciélagos (algunos aparecen anillados por los científicos), un venado cola blanca y un ejemplar inmaduro de gavilán del manglar o busardo negro-norteño. A la derecha, árboles corteza amarilla.*

*B*OTH PARKS BOAST RICH AND VARIED WILDLIFE. *Above, a colony of bats (some fitted with rings by scientists), a whitetail deer and a juvenile mangrove black-hawk or common black-hawk. On the right, yellow cortez trees.*

museo, y el monumento-mirador que se encuentra detrás de ésta. En esta sección existen los senderos El Indio Desnudo, Aceituno, Los Patos, Carbonal, Valle Naranjo y Playa Naranjo-Playa
Nancite. En la sección Murciélago se halla el sendero Poza de El
General. En Santa Rosa existen dos áreas para acampar, una cerca del área administrativa y otra cerca del Museo Histórico, con
mesas, lavabos y agua potable; en Playa Naranjo, Estero Real y
Murciélago hay áreas de acampada con mesas, lavabos y agua
de pozo no potable.

Cerca de la administración principal se encuentra el Centro
de Investigaciones del Bosque Seco Tropical, un importante centro internacional de estudios sobre la ecología de este ecosistema, que cuenta con alojamiento para 72 personas, laboratorios,
salas de reuniones y biblioteca y está acondicionado con un sistema de ordenadores.

Existen servicios de autobuses San José-Liberia-La Cruz y
Liberia-La Cruz, que se detienen en las entradas a Santa Rosa
y Pocosol. En Liberia y La Cruz hay hoteles, restaurantes y mercados. Para cualquier tipo de información dirigirse a la administración del Parque Nacional Santa Rosa. Telf.: (506) 666-
5051; fax: (506) 666-5020; o a la administración del Área de
Conservación Guanacaste. Telf.: (506) 661-8151; e-mail:
acg@acguanacaste.ac.cr

*LA CASONA ES HOY UN MUSEO HISTÓRICO donde pueden
contemplarse no sólo antiguos petroglifos sino también
interesantes reconstrucciones de cómo vivían las anteriores
generaciones de los actuales costarricenses.*

*LA CASONA IS NOWADAYS A HISTORY MUSEUM that houses ancient
petroglyphs and interesting reconstructions of how former
generations of contemporary Costa Ricans used to live.*

Nancite Beach. In the Murciélago sector there is the path of El General. In Santa Rosa there are two camping sites, one near the offices and another near the History Museum, with tables, washbasins and drinking water. On Naranjo Beach, Estero Real and Murciélago there are camping sites with tables, toilets and non-potable well water.

The Dry Tropical Forest Research Center is located near the main offices. It is an important international center for ecological studies of this ecosystem. Providing accomodation for 72 people, laboratories, it has meeting rooms and a library, and is equipped with a computer system.

There are bus services between San José, Liberia and La Cruz and Liberia-La Cruz, which stop at the entrances to Santa Rosa and Pocosol. In Liberia and La Cruz there are hotels, restaurants and markets.

For more information, contact the park administration of Santa Rosa National Park on Tel.: (506) 666-5051; fax: (506) 666-5020; or the administration office of the Área de Conservación Guanacaste. Tel.: (506) 661-8151; e-mail: acg@acguanacaste.ac.cr

El volcán Orosí, situado en el Parque Nacional Guanacaste, es un estratovolcán de 1.446 metros de altitud que presenta un aspecto cónico muy característico. Sus laderas se encuentran cubiertas por densos bosques húmedos y nubosos.

Orosí Volcano in Guanacaste National Park is a 1,446-meter-high stratovolcano with a very characteristic conical shape. Its slopes are covered in thick wet cloud forest.

PARQUE NACIONAL RINCÓN DE LA VIEJA

EL MACIZO DEL RINCÓN DE LA VIEJA, con 1.916 m de altitud, es un estratovolcán de 400 km², formado por vulcanismo simultáneo de cierto número de focos eruptivos que crecieron y se convirtieron en una sola montaña. En la cima se han podido identificar nueve puntos eruptivos, uno de ellos activo, el Rincón de la Vieja, y los restantes en proceso de degradación erosiva. Hacia el sur del cráter activo se encuentra una laguna de agua dulce de unos 400 m de largo, de gran belleza escénica, a la que acuden las dantas *(Tapirus bairdii)* para tomar agua. El último período de actividad fuerte tuvo lugar entre 1966 y 1975, y las erupciones más recientes ocurrieron en 1991, 1995 y 1997.

Al pie del volcán, del lado sur, se encuentra el área denominada Las Pailas, que ocupa unas 50 hectáreas. Existen aquí fuentes termales, lagunas solfatáricas, soffioni u orificios por donde se elevan chorros de vapor, y volcancitos de lodo, en los que el barro burbujea permanentemente por la salida de vapores y gases sulfurosos.

ESTE MACIZO MONTAÑOSO es un estratovolcán en cuya cima se han podido identificar hasta nueve puntos eruptivos, uno de ellos activo, el Rincón de la Vieja, cuya última erupción tuvo lugar en el año 1997.

THIS MOUNTAINOUS MASSIF is a stratovolcano with nine eruption points on the summit. One of them, Rincón de la Vieja, is active, last erupting in 1997.

RINCÓN DE LA VIEJA NATIONAL PARK

THE 1,916-METER-HIGH RINCÓN DE LA VIEJA MASSIF is a stratovolcano covering 400 km², which formed as a result of the simultaneous volcanic activity of various eruption points, that grew and became a single mountain. At the top, nine eruption sites have been identified, one of them, Rincón de la Vieja, is active, but the rest are in the process of erosive degradation. Towards the south of the active crater there is a scenically very beautiful freshwater lagoon some 400 m long where Baird's tapir *(Tapirus bairdii)* go to drink. The last period of great activity occurred between 1966 and 1975, and the most recent eruptions took place in 1991, 1995 and 1997.

At the foot of the volcano on the southern side is the area called Las Pailas, which covers 50 hectares. Here, there are thermal springs, solfatara lagoons, orifices with spurting jets of steam, and little mud volcanoes, where the mud is constantly bubbling due to the escaping steam and sulphurous gases. The park contains different habitats appropriate to different

LOS MAMÍFEROS ABUNDAN EN EL ÁREA PROTEGIDA, incluso en la cumbre del volcán. Una de las especies más fáciles de ver, y sobre todo de escuchar en los bosques que tapizan las laderas, es el mono congo.

MAMMALS ABOUND IN THIS PROTECTED AREA, even on the peak of the volcano. One of the species that is easiest to spot, and especially to hear, in the forests that cloak the slopes is the howler monkey.

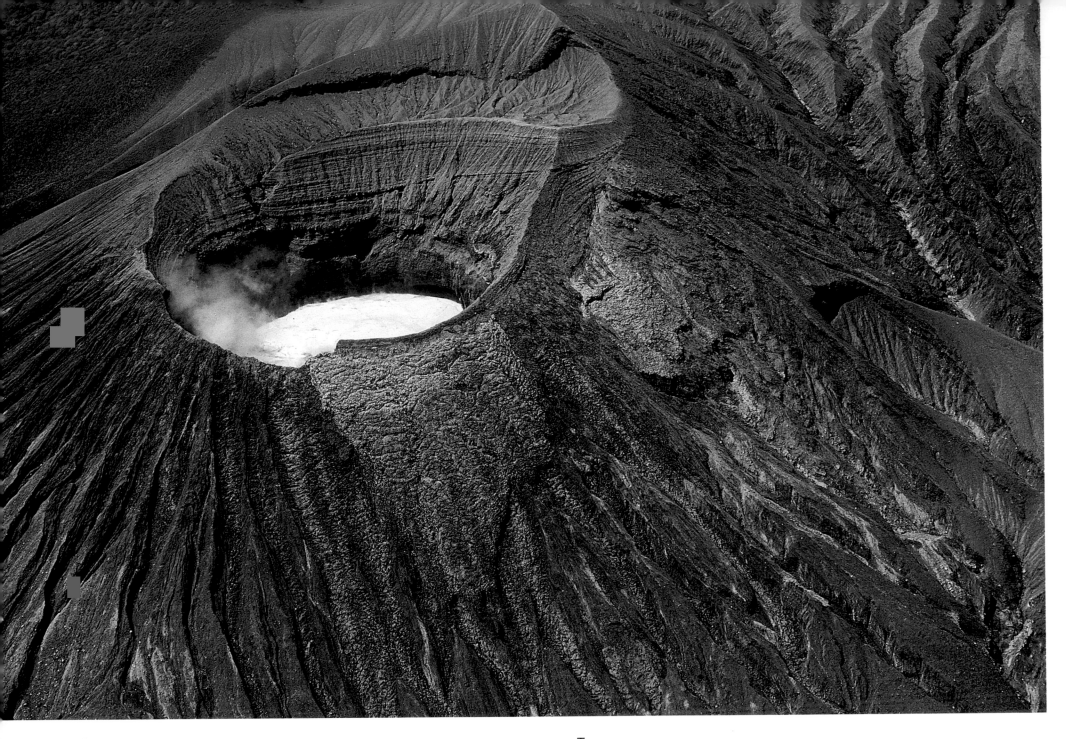

A LA LAGUNA DE AGUA DULCE, de unos 400 metros de largo (derecha), situada al sur del cráter activo, acuden frecuentemente las dantas o tapires para beber y bañarse. Arriba, el cráter Rincón de la Vieja que da nombre al parque nacional.

TAPIRS OFTEN GO TO DRINK AND BATHE at 400-meter-long Agua Dulce Lagoon (right), situated south of the active crater. Above, Rincón de la Vieja crater, after which the national park is named.

El parque presenta diferentes hábitats altitudinales. La cima del volcán está cubierta de cenizas y cuenta con poca vegetación. Cerca de la cumbre los bosques son de baja altura y los árboles se muestran ramificados, retorcidos y cubiertos de musgos y epífitas; la especie dominante es el copey *(Clusia rosea)*. En las partes intermedias, entre 800 m y 1.500 m, el bosque es denso y alto; algunos de los árboles presentes son el roble *(Quercus oocarpa)*, el ciprés blanco *(Podocarpus macrostachyus)* y el cuajada *(Vitex cooperi)*. La vegetación del área noroeste del macizo se caracteriza por ser representativa de la vertiente atlántica, con un bosque muy alto, hasta de 40 m, y un sotobosque a veces muy entremezclado, dominado por palmas.

En este macizo se han observado 257 especies de aves, entre ellas el campanero tricarunculado *(Procnias tricarunculata)*, al que se le conoce también como pájaro campana por su fuerte y raro canto metálico. Algunos de los mamíferos presentes son el cabro de monte *(Mazama americana)* y el oso colmenero *(Tamandua mexicana);* los mamíferos abundan en la cumbre del macizo. Entre los insectos, que son muy abundantes, destacan cuatro especies de las bellas mariposas del género *Morpho*. El parque protege un gran sistema de cuencas hidrográficas y en él se localiza la mayor población en estado silvestre de la guaria morada *(Guarianthe skinneri)*, la flor nacional.

El Rincón de la Vieja es uno de los volcanes de la cordillera de Guanacaste. Este parque se encuentra dividido en dos secciones, Pailas y Santa María. A la administración de la sección Pailas se llega desde Liberia vía carretera Panamericana-Guadalupe-Curubandé-administración (25 km), por caminos pavimentados y lastrados. Existen los senderos Pailas, Poza del Río Blanco, Cataratas Escondidas, Catarata La Cangreja, Pailas-Santa María, Cráter del Rincón de la Vieja y Cerro von Seebach. En la administración hay un área para acampar con mesas, lavabos y agua potable. La ad-

ministración de la sección Santa María se encuentra en una casona antigua, junto a la cual existe un trapiche. Hasta aquí se llega vía Liberia-Colonia Blanca-parque (25 km), por camino lastrado. Existen los senderos El Colibrí, Pailas de Agua Fría, Catarata Bosque Encantado, Aguas Termales y El Mirador. En la casona se presentan exhibiciones y cerca hay áreas para almorzar y acampar con mesas, lavabos y agua potable.

Existen servicios de autobuses Liberia-Curubandé y Liberia-Colonia Blanca (que se detiene en la entrada a la sección Santa María). En Liberia hay hoteles, restaurantes y mercados; en Curubandé y Colonia Blanca existen pulperías y en las cercanías del parque se localizan dos albergues. Para cualquier tipo de información dirigirse a la administración Pailas. Telf.: (506) 661-8139, o al Área de Conservación Guanacaste. Telf.: (506) 666-5051; fax: (506) 666-5020; e-mail: acg@acguanacaste.ar.cr

En el área conocida como Las Pailas (arriba),
en la vertiente sur del macizo montañoso,
se localizan numerosas manifestaciones volcánicas
secundarias. A la derecha, una vista general
del macizo del Rincón de la Vieja con los densos
bosques que trepan por sus vertientes.

In the area known as Las Pailas (above),
on the southern slope of the mountainous massif,
there are many secondary volcanic features.
On the right, an overall view of the Rincón de la Vieja
massif, with thick forests scaling its slopes.

altitudes. The top of the volcano is covered in ashes and there is little plant life. Near the top, the woodland is low and the trees' thick branches are twisted and covered in mosses and epiphytes; the predominant species is the copey (Clusia rosea). In the intermediate parts between 800 m and 1,500 m the forest is dense and high. The trees include oak (Quercus oocarpa) and white cypress (Podocarpus macrostachyus) and manwood (Vitex cooperi). The vegetation of the northwest of the massif is characteristically representative of the Atlantic Basin forest up to 40 m high and with a sometimes very tangled undergrowth where palms predominate.

In this massif, 257 bird species have been recorded, including the three-wattled bellbird (Procnias tricarunculata) so called because of its strange strident metallic call. Some of the mammals present are the red brocket deer (Mazama ameri-cana) and the northern tamandua (Tamandua mexicana); mammals abound in the upper reaches of the mountain. Among the numerous insects, four beautiful species of butterflies of the genus Morpho stand out. The park protects a great ecosystem of hydrographic basins, and the largest population of wild purple orchid (Guarianthe skinneri), the national flower, is found there.

Rincón de la Vieja is one of the volcanos of the Guanacaste Mountains. This park is divided into two sections: Pailas and Santa María. You can reach the offices of the Pailas sector from Liberia via Panamerican Highway Quebrada Grande-Góngora (25 km) on paved and grit roads. The following paths can be taken: Pailas, Poza del Río Blanco, Cataratas Escondidas, Catarata La Cangreja, Pailas-Santa María, Rincón de la Vieja Crater and Cerro von Seebach. Near the offices, there is a camping area with tables, toilets and drinking water. The office of the Santa María sector is in a former house with an adjoining mill. You can get there via Liberia and Colonia Blanca as far as the park (25 km) along a grit track. There are paths to El Colibrí, Pailas de Agua Fría, Catarata Bosque Encantado, Aguas Termales and El Mirador. In the house there are exhibitions, and, nearby, there are picnic and camping sites with tables, toilets and drinking water.

There are bus services between Liberia and Curubandé and between Liberia and Colonia Blanca (which stops at the entrance to the Santa María sector). In Liberia there are hotels, restaurants and markets; in Curubandé and Colonia Blanca there are grocery shops, and near the park there are two hostels. For all information, contact the Pailas administration office. Tel.: (506) 661-8139 or the Área de Conservación Guanacaste (Guanacaste Conservation Area) on Tel.: (506) 666-5051; fax: (506) 666-5020; e-mail: acg@acguanacaste.ac.cr

En el Parque Nacional Rincón de la Vieja se localiza la mayor población en estado silvestre hasta ahora conocida en el país de una bellísima orquídea de un llamativo color morado, conocida como la guaria morada, que ha sido declarada flor nacional de Costa Rica.

Rincón de la Vieja National Park hosts the largest known population in the wild in Costa Rica of an extremely lovely orchid of an eye-catching purple color. Known as 'guaria morada', it has been declared the national flower.

REFUGIO NACIONAL DE FAUNA SILVESTRE
BAHÍA JUNQUILLAL

Es un área recreativa que incluye una extensa playa blanca de gran belleza escénica, de oleaje muy suave y de aguas muy transparentes y ligeramente más frías que en el resto de la costa pacífica del país. En esta playa desovan tortugas marinas, y muy cerca de ella se descubrieron los restos de un asentamiento prehispánico de un pueblo agricultor, cazador y recolector de productos marinos.

El bosque seco se extiende hasta el borde de la playa; existen también pequeñas áreas de manglar dominadas por el mangle rojo *(Rhizophora mangle)*. Los rabihorcados magníficos *(Fregata magnificens)* y los pelícanos alcatraces *(Pelecanus occidentalis)*, que son aquí muy abundantes, anidan en las islas e islotes ubicados frente a la costa, como las islas Los Muñecos y Juanilla. Durante los meses de diciembre-febrero es posible observar ballenas jorobadas *(Megaptera novaeangliae)*, que alcanzan hasta 15 m de largo, nadando a corta distancia de la playa, y se ha citado también la presencia de los inofensivos y gigantescos tiburones ballena *(Rhincodon typus)*.

La administración de esta sección se localiza 5 km al norte de Cuajiniquil, por camino lastrado; en esta comunidad se encuentra un mercado. Al lado de la administración se ubica el área de acampar con mesas, lavabos y agua potable. Existe un servicio de autobuses Liberia-Cuajiniquil (50 km).

ESTACIÓN EXPERIMENTAL FORESTAL
HORIZONTES

Esta estación fue creada con el propósito de estudiar la utilización de especies forestales nativas del bosque seco, en programas de reforestación en todo el Pacífico Seco, y de promover el desarrollo de investigaciones dasonómicas con un enfoque productivo. Cuenta con oficinas, salas de conferencias, comedor y habitaciones hasta para 60 personas. Se localiza a 40 km de Liberia, en ruta hacia Papagayo, por camino en parte pavimentado y en parte lastrado.

Un denso manglar (arriba), dominado por el mangle rojo, se localiza en el Refugio Nacional de Fauna Silvestre Bahía Junquillal. En sus playas se observan numerosos limícolos, entre ellos el playero aliblanco (derecha).

This thick mangrove swamp (above), with a predominance of red mangrove, is in Bahía Junquillal National Wildlife Refuge. Large numbers of waders can be seen on its beaches, including willet (right).

BAHÍA JUNQUILLAL
NATIONAL WILDLIFE REFUGE

IT IS A RECREATION AREA with a very beautiful extensive white beach with gentle waves and very transparent waters, slightly colder than on the rest of the Pacific coast of the country. On this beach, marine turtles lay their eggs and very close to it the remains of a pre-Hispanic settlement of a people who farmed, hunted and harvested marine life, were found.

The dry forest extends as far as the beach and there are also small patches of mangrove dominated by red mangrove (Rhizophora mangle). The magnificent frigatebird (Fregata magnificens) and the brown pelicans (Pelecanus occidentalis), which are very abundant here, nest on the islands and islets off the coast, such as the Los Muñecos and Juanilla Islands. From December to February it is possible to observe humpbacked whales (Megaptera novaeangliae), which can be up to 15 m long, swimming a short distance from the beach. Gigantic, but inoffensive, whale sharks (Rhincodon typus) have also been recorded.

The offices of this sector are 5 km north of Cuajiniquil along a grit path. There is a market in this town. Next to the offices there is a camping site with tables, toilets and drinking water. A bus service operates between Liberia and Cuajiniquil (50 km).

HORIZONTES EXPERIMENTAL
FORESTRY STATION

THIS STATION WAS SET UP WITH THE AIM OF STUDYING the use of native dry forest species in reforestation programmes throughout the Dry Pacific and of promoting the development of research with the emphasis on production. There are offices, conference rooms, a dining room and bedrooms for up to 60 people. It is situated 40 km from Liberia on the road to Papagayo which is part paved and part grit.

EL ESTUDIO DEL BOSQUE SECO (arriba) y de sus especies forestales nativas es el principal objetivo de la Estación Experimental Forestal Horizontes. A la izquierda, un ejemplar de martinete coronado, un ave característica de humedales y cursos fluviales.

STUDYING THE DRY FOREST (above) and its native species is the chief aim of Horizontes Experimental Forestry Station. On the left, a yellow-crowned night heron, a species typical of wetlands and rivers.

Tempisque

El río Tempisque (izquierda), uno de los cursos fluviales más importantes de Costa Rica vierte sus aguas en el fondo del estrecho y profundo golfo de Nicoya. En su desembocadura se encuentra el Parque Nacional Palo Verde (derecha), cuyas casi veinte mil hectáreas de zonas llanas inundables reúnen una de las mayores concentraciones de aves acuáticas y vadeadoras de toda Mesoamérica. Abajo, la silueta de un caracara carancho.

The River Tempisque (left), one of the most important rivers in Costa Rica, flows into the deep and narrow Nicoya Gulf. At its mouth is Palo Verde National Park (right), whose almost twenty thousand hectares of flood plains host one of the greatest concentrations of aquatic and wading birds in all Mesoamerica. Below, the outline of a crested caracara.

PARQUE NACIONAL PALO VERDE

LAS AMPLIAS LLANURAS INUNDABLES del Parque Nacional Palo Verde se encuentran delimitadas por una serie de colinas calcáreas en las que se desarrollan densas masas forestales mixtas.

THE VAST FLOOD PLAINS of Palo Verde National Park are bounded by a series of calcareous hills covered in thick tracts of mixed forest.

CONSTITUYE UN MOSAICO DE DIFERENTES HÁBITATS inundables de llanura, delimitados por ríos y por una fila de cerros calcáreos. El área se encuentra sujeta a inundaciones estacionales de gran magnitud. Durante la estación lluviosa, debido a su poco drenaje, la llanura se anega por efecto de la acción combinada de la lluvia, las mareas y los desbordamientos de los ríos Tempisque y Bebedero. Desde los miradores de los cerros Catalina y Guayacán se observa una amplia extensión de los pantanos y lagunas del parque y de una buena parte de la provincia de Guanacaste.

PALO VERDE NATIONAL PARK

IT CONSTITUTES A MOSAIC OF DIFFERENT FLOODPLAIN habitats whose borders are marked by rivers and by a line of calcareous hills. The area is subject to large-scale seasonal flooding. In the rainy season, due to the poor drainage, the plain floods through the combined action of rain, tides and the overflow from the Tempisque and Bebedero rivers. A wide expanse of the park's swamps and lagoons and a sizeable part of Guanacaste province are visible from the viewing points of Catalina and the Guayacán hills.

With over 12 different habitats, Palo Verde is one of the places with greatest ecological variety in the country. Among

LA ESPÁTULA ROSADA es una de las 60 especies de aves acuáticas y vadeadoras que de septiembre a marzo se concentran en este extenso humedal para alimentarse y reproducirse.

THE ROSEATE SPOONBILL is one of the 60 species of aquatic and wading birds which gather in this vast wetland from September to March to feed and breed.

UNA DE LAS AVES ACUÁTICAS que se concentran en mayor número en las lagunas y zonas encharcadas de esta área protegida es el suirirí piquirrojo, popularmente conocido como piche, cuya población se estima que supera los 25.000 individuos.

ONE OF THE AQUATIC BIRDS THAT FLOCKS in large numbers to the lagoons and flooded areas of this protected area is the black-bellied whistling duck. Popularly known as 'piche', as many as 25,000 have been recorded.

Palo Verde es uno de los lugares de mayor variedad ecológica del país, con más de 12 hábitats diferentes. Entre ellos se encuentran las lagunas y pantanos salobres y de agua dulce, los zacatonales con mangle salado *(Avicennia germinans)*, los manglares, los pastizales con raspaguacal *(Curatella americana)*, los bosques achaparrados de bajura, los bosques mixtos deciduos de llanura, los bosques mixtos sobre colinas calcáreas, los bosques ribereños o de galería, las sabanas arboladas, los bosques anegados y los bosques siempreverdes. En esta área protegida se han identificado unas 150 especies de árboles; uno de los más conspicuos, y que da nombre al lugar, es el palo verde *(Parkinsonia aculeata)*, un arbusto espinoso, de hojas, ramas y tronco de color verde claro, con delicadas flores amarillas. En el parque se encuentra la mayor población del país del guayacán real *(Guaiacum sanctum)*, un árbol de madera extremadamente pesada y muy apreciada, en grave peligro de extinción.

Una de las mayores concentraciones de aves acuáticas y vadeadoras de toda Mesoamérica tiene lugar en Palo Verde. De septiembre a marzo, unas 60 especies, tanto residentes como migratorias, se concentran en las lagunas y áreas vecinas para alimentarse y reproducirse. De éstas, las de mayores poblaciones son el suirirí piquirrojo o piche *(Dendrocygna autumnalis)* –25.000 individuos–, la cerceta aliazul o zarceta *(Anas discors)* –15.000 individuos– y el tántalo americano o garzón *(Mycteria*

ENTRE LOS MAMÍFEROS MÁS ABUNDANTES y que pueden ser vistos con mayor facilidad en las masas boscosas del parque nacional se encuentra el mono carablanca, que se desplaza por las ramas de los árboles en grupos familiares.

AMONG THE MOST COMMON and easily spotted mammals in the forest tracts of the national park is the white-faced capuchin, which moves among the branches in family groups.

them are lagoons and brackish and freshwater swamps, the masses of 'zacatón' grass with black mangrove *(Avicennia germinans)*, mangroves, grassland with rough-leaf tree *(Curatella americana)*, stunted forests of lowland mixed deciduous plains forests, mixed forests on calcareous hills, riverine or gallery forests, wooded savannahs, flooded forests and evergreen forests. In this protected area some 150 species of trees have been recorded. One of the most conspicuous and the one that gives its name to the place is the horse bean *(Parkinsonia aculeata)*, a thorny bush with light green leaves, branches and trunk and with delicate yellow flowers. This park contains the largest population of lignum-vitae *(Guaiacum sanctum)* in the country. It is a tree with extremely heavy and much appreciated wood and is seriously threatened with extinction.

One of the largest gatherings of waterfowl and waders in the whole of Central America occurs in Palo Verde. From September to March some 60 species, both resident and migratory, gather in the lagoons and neighbouring areas to feed and reproduce. Those with the largest populations are the black-bellied whistling-duck *(Dendrocygna autumnalis)* with 25,000 birds, blue-winged teal *(Anas discors)* with 15,000, and the wood stork *(Mycteria americana)* with 4,000 birds. Other very conspicuous bird species are the jabiru *(Jabiru mycteria)*, a threatened species with a population there of about 45 birds, and the scarlet macaws *(Ara macao)*,

En los diferentes hábitats de Palo Verde se han censado hasta 150 especies de árboles, localizándose en sus bosques siempreverdes extraordinarios fustes que normalmente se encuentran rodeados de gruesas lianas.

In Palo Verde's various habitats as many as 150 species of trees have been recorded. The evergreen forests contain extraordinary trunks that are usually surrounded by thick lianas.

EN LOS DENSOS E IMPENETRABLES manglares
de la isla Pájaros, situada en el río Tempisque,
nidifican cada año de una manera colonial hasta
trece especies diferentes de aves.

IN THE THICK IMPENETRABLE mangrove swamps
of Pájaros Island on the River Tempisque up to
thirteen species of birds nest in colonies every year.

americana) –4.000 individuos–. Otras especies de aves muy conspicuas son el jabirú americano o galán sin ventura (Jabiru mycteria), especie amenazada de extinción y cuya población aquí es de unos 45 individuos, y el guacamayo macao o lapa roja (Ara macao), ya casi desaparecida de Guanacaste. Se han observado unas 279 especies de aves en el parque, de las que 60 son acuáticas.

En la isla Pájaros, de 2,3 ha, localizada en el río Tempisque, nidifican 13 especies de aves. Esta isla, conformada por un manglar, posee la colonia nidificante más grande del país del martinete común (Nycticorax nycticorax). En las riberas de los ríos Tempisque y Bebedero se observan cocodrilos (Crocodylus acutus) de hasta 5 m de largo. En los sitios conocidos como Botija, Bocana y Sonzapote se han encontrado yacimientos arqueológicos prehispánicos.

Palo Verde forma parte de la unidad biogeográfica que se conoce como "las bajuras del Tempisque". Este parque fue incorporado a la Lista de Humedales de Importancia Internacional de la Convención de Ramsar en 1991. A la administración, en la sección Negritos, se llega desde Bagaces vía carretera Panamericana-Tamarindo-Bagatzí-administración (20 km), por caminos en parte pavimentados y en parte lastrados. En la sección Catalina hay senderos al cerro Catalina, laguna Bocana, laguna Nicaragua, El Roble, La Palmita y embarcadero; también se localiza un área para acampar con mesas, lavabos y agua potable. En la sección Palo Verde existen los senderos Cueva del Tigre, Colmenal, Cerro Guayacán, La Venada y Río Tempisque (embarcadero Chamorro). Cerca del puesto Palo Verde se encuentra la Estación Biológica Palo Verde, un centro de investigaciones sobre humedales y bosques secos, administrado por la Organización para Estudios Tropicales (OTS); un sendero educativo discurre entre esta estación y el cerro Guayacán.

Hay un servicio de autobuses San José-Bagaces; en este último lugar se pueden alquilar taxis. En Bagaces hay hoteles, pensiones, restaurantes y mercados. Para cualquier tipo de información dirigirse a las oficinas de la Subregional Bagaces. Telf.: (506) 671-1290; fax: (506) 671-1062; o al Área de Conservación Tempisque. Telfs.: (506) 671-1455, 671-1062; e-mail: act@minae.go.cr. Para alojarse en la estación de la OTS comunicarse al Telf.: (506) 240-6696; fax: (506) 240-6783; e.mail: nat-hist@ots.ac.cr

which already has almost disappeared from Guanacaste. Some 279 species of birds have been recorded in the park, of which 60 are aquatic.

On 2.3-hectare Pájaros Island on the River Tempisque 13 species of birds nest. It comprises a mangrove swamp and has the biggest nesting colony of black-crowned night-heron *(Nycticorax nycticorax)* in the country. On the banks of the rivers Tempisque and Bebedero you can see crocodiles *(Crocodylus acutus)* up to 5 m long. In Botija, Bocana and Sonzapote pre-Hispanic archeological remains have been found.

Palo Verde is part of the biogeographic unit known as 'the Tempisque River Lowlands'. This park is on the Ramsar List of Wetlands of International Importance since 1991. Access to the offices in the Negritos sector is from Bagaces via Panamerican Highway-Tamarindo-Bagatzí (20 km) along partly paved and partly grit roads. In the Catalina sector there are paths to Cerro Catalina, Bocana lagoon, Nicaragua lagoon, El Roble, La Palmita and the jetty. There is also a camping site with tables, toilets and drinking water. In the Palo Verde sector there are paths to Cueva del Tigre, Colmenal, Cerro Guayacán, La Venada and the Tempisque River (Chamorro jetty). The Palo Verde Biological Station is near the Palo Verde post. It is a centre for research into wetlands and dry forests run by the Organization for Tropical Studies (OTS). There is an educational route between the station and Guayacán Hill.

Bus services operate between San José and Bagaces. In the latter it is also possible to hire taxis. Bagaces has hotels, guest houses, restaurants and markets. For information, contact the Bagaces District office on Tel.: (506) 671-1290; fax: (506) 671-1062; or the Conservation Area on Tel.: (506) 671-1455, 671-1062; e-mail: act@minae.go.cr. For accommodation at the OTS station, call Tel.: (506) 240 6696; fax: (506) 240-6783; e-mail: nat-hist@ots.ac.cr

Los características encharcamientos de esta área protegida (arriba) constituyen un hábitat ideal para las aves acuáticas y vadeadoras. A la izquierda, una garceta grande o garza real.

The characteristic flooding of this protected area (above) creates an ideal habitat for aquatic birds and waders. On the left, a great white egret.

PARQUE NACIONAL MARINO
LAS BAULAS DE GUANACASTE

NADA MÁS NACER las pequeñas tortuguitas baulas deben alcanzar rápidamente la orilla del mar, ya que es durante este trayecto por la playa cuando más expuestas están a ser capturadas por sus numerosos predadores.

ONCE THE BABY LEATHERBACKS HATCH, they must make for the water's edge as quickly as possible since on their way across the sand they are highly exposed and liable to fall victim to their many predators.

LAS PLAYAS GRANDE Y LANGOSTA, que forman parte de este parque, constituyen el sitio más importante de todo el Pacífico oriental para el desove de la tortuga marina baula *(Dermochelys coriacea)*. Esta especie, que es la más grande de todas las tortugas de mar, es de color azul oscuro, presenta 7 quillas o abultamientos alargados en su caparazón y puede alcanzar más de 2 m de longitud total y hasta 700 kg de peso. Además de la baula, durante las noches de octubre a marzo de cada año llegan a desovar tortugas loras *(Lepidochelys olivacea)*, verdes del Pacífico *(Chelonia agassizi)* y de carey *(Eretmochelys imbricata)*. Actualmente, la organización conservacionista The Leatherback Trust lleva a cabo una campaña

LAS BAULAS DE GUANACASTE NATIONAL MARINE PARK

THE BEACHES OF PLAYA GRANDE AND PLAYA LANGOSTA, which make up this park, are the most important laying site for the leatherback turtle *(Dermochelys coriacea)* in the whole of the Eastern Pacific area. This species, which is the largest of all the sea turtles, is dark blue with 7 keels or elongated bulges on its shell. It can measure over 2 m in total length and weigh up to 700 kg.

Besides the leatherback, from October to March each year, the olive ridley turtles *(Lepidochelys olivacea)*, Pacific green turtles *(Chelonia agassizi)* and hawksbill turtles *(Eretmochelys imbricata)* arrive by night to lay their eggs. The conservation organization 'The Leatherback Trust' is currently conducting an international campaign to buy land in order to extend the park.

PLAYA GRANDE CONSTITUYE el más importante sitio del Pacífico oriental para el desove de la amenazada tortuga baula. A ella también acuden para nidificar otras especies de tortugas marinas.

PLAYA GRANDE IS THE MOST important laying site in the eastern Pacific for the threatened leatherback turtle. Other species of marine turtles also go there to nest.

internacional para comprar tierras con el propósito de ampliar el parque.

En el manglar, que abarca unas 440 ha, se encuentran las seis especies de mangle conocidas en la costa pacífica costarricense; destaca por su abundancia el mangle rojo *(Rhizophora mangle)*, que forma grandes rodales casi puros con ejemplares que superan los 30 m de altura. La fauna en este humedal es bastante diversa y abundante; se han observado 57 especies de aves, incluyendo la bella espátula rosada *(Ajaia ajaja)*, y pueden observarse caimanes *(Caiman crocodylus)* y cocodrilos *(Crocodylus acutus)*. Este manglar fue incorporado en 1993 a la Lista de los Humedales de Importancia Internacional de Ramsar. Un bosque seco intervenido cubre el resto de la superficie del parque; los árboles más comunes son el panamá *(Sterculia apetala)*, el guácimo *(Guazuma ulmifolia)* y el vainillo *(Tecoma stans)*.

Los mamíferos más abundantes en el parque son el mapachín *(Procyon lotor)*, el pizote *(Nasua narica)* y el mono congo *(Alouatta palliata)* –considerado como uno de los animales terrestres más ruidosos del mundo–. En la playa son comunes las gaviotas *(Larus* sp.) y los correlimos o patudos *(Calidris* sp.), así como cangrejos de diversas especies.

El parque Las Baulas se localiza en el centro de la provincia de Guanacaste, sobre la costa del Pacífico. A la administración se llega vía San José-Liberia-Cartagena-Huacas-Playa Grande (296 km), por camino pavimentado, excepto la última parte que es lastrado. Para observar las tortugas, es obligatorio inscribirse en uno de los grupos que se forman y que son conducidos por guías autorizados. Para visitar el manglar puede, o incorporarse a una excursión, o alquilar un bote en la vecina población de Tamarindo. Un museo dedicado a las tortugas se encuentra cerca de la administración. Existen servicios de autobuses San José-Tamarindo y Liberia-Tamarindo. Existen servicios de autobuses y avionetas San José-Tamarindo, y en Playa Grande hay hoteles, restaurantes y pulperías. Para cualquier tipo de información dirigirse a la administración del parque. Telf./fax: (506) 653-0470; o a la oficina en Santa Cruz, Telf./fax: (506) 680-1820; e-mail: act@minae.go.cr

In the mangrove swamp covering around 440 ha, there are six known species of mangrove on the Pacific coast of Costa Rica. The red mangrove *(Rhizophora mangle)* stands out in terms of numbers and forms large, almost pure stands with some specimens over 30 m high. The animal life in this wetland is quite diverse and abundant. Fifty seven species of birds, including the beautiful roseate spoonbill *(Ajaia ajaja)* have been recorded. There are caymans *(Caiman crocodylus)* and crocodiles *(Crocodylus acutus)*. This mangrove area was included on the Ramsar List of Wetlands of International Importance in 1993. Disturbed dry forest covers the rest of the park land; the most common trees are the Panama tree *(Sterculia apetala)*, 'guácimo' *(Guazuma ulmifolia)* and yellow bells or yellow trumpet flowers *(Tecoma stans)*.

The most common mammals in the park are common racoon *(Procyon lotor)*, white-nosed coati *(Nasua narica)* and howler monkey *(Alouatta palliata)*, which is considered to be one of the noisiest terrestrial mammals in the world. On the beach, gulls *(Larus* sp.) and waders of the genus *Calidris* are common, together with crabs of various species.

Las Baulas Park is located in the center of Guanacaste province on the Pacific coast. Visitors can get to the offices via San José-Liberia-Cartagena-Huacas-Playa Grande (296 km), along a road that is mostly asphalted, except for the last part, which is a dirt track. To watch the turtles, it is compulsory to join one of the groups led by authorized guides. To visit the mangrove swamp, one can join a trip or hire a boat in the neighbouring town of Tamarindo. There is a museum devoted to the turtles near the offices. There are bus services between San José and Tamarindo and Liberia and Tamarindo. Bus and light aircraft services operate between San José-Tamarindo, and at Playa Grande there are hotels, restaurants and grocery shops. For all information, contact the park administration. Tel./fax: (506) 653-0470; or the office in Santa Cruz. Tel./fax: (506) 680-1820; e-mail: act@minae.go.cr

En el manglar de Tamarindo (arriba) se desarrollan seis especies de mangle dominadas por grandes rodales casi puros de mangle rojo cuyos ejemplares alcanzan los 30 metros de altura. A la izquierda, un cangrejo marino en Playa Grande.

In Tamarindo Mangrove Swamp (above) six species of mangrove grow with a predominance of large, almost pure, tracts of red mangrove, with specimens up to 30 meters high. On the left, a sea crab on Playa Grande.

Parque Nacional
Barra Honda

Una de las serpientes más llamativas de Costa Rica es la falsa coral, que a diferencia de las auténticas corales no es una especie venenosa para el hombre.

One of the most striking snakes in Costa Rica is the false coral, which unlike the true coral snakes is not poisonous to people.

El cerro Barra Honda, de unos 450 m de altitud, está constituido por calizas de tipo arrecifal, de unos 60 millones de años de antigüedad, que emergieron a causa de un solevantamiento provocado por fallas. De flancos escarpados, particularmente en su parte sur y casi llano en su cima, está cubierto por una vegetación principalmente caducifolia en la que destacan el pochote *(Bombacopsis quinata)* y el indio desnudo *(Bursera simaruba)*. Alberga una fauna medianamente variada, entre la que se encuentran los monos cara-blanca *(Cebus capucinus)*, los coyotes *(Canis latrans)* y los venados *(Odocoileus virginianus)*.

El cerro contiene uno de los más amplios sistemas de cavernas conocidos en Costa Rica; cuenta con unas 40 cavernas independientes unas de otras, de las que hasta la fecha se han explorado sólo la mitad. La más profunda es la de Santa Ana, con 240 m. La Terciopelo es la que contiene la mayor abundancia y belleza en sus figuras; una de éstas se denomina El Órgano, porque emite diversos tonos cuando se golpean suavemente sus paredes. La Trampa es la que presenta el más profundo precipicio, con 52 m de caída vertical; esta caverna posee también las salas de mayor tamaño. La Pozo Hediondo, que debe su hedor al guano de los murciélagos, es la única que tiene abundancia de estos mamíferos. En la Nicoa fueron encontrados gran cantidad de restos humanos, utensilios y adornos indígenas precolombinos.

En el parque existen tres áreas de interés muy particular: El Mirador, que se encuentra en el borde sur de la cima, desde donde se domina una gran parte del golfo de Nicoya; Los Mesones, que contiene un bosque siempreverde de gran altura y de donde se lleva el agua a varios pueblos vecinos, y La Cascada, en la que se observan bellísimos depósitos escalonados de tufa calcárea que forman una singular cascada.

BARRA HONDA
NATIONAL PARK

THE 450 METER-HIGH BARRA HONDA HILL is made up of coral reef type limestones some 60 million years old, which emerged due to an uplift caused by faults. With steep sides, particularly on the south side, and almost flat at the top, it is covered in mainly deciduous vegetation such as pochote *(Bambacopsis quinata)* and the gumbo-limbo tree *(Bursera simaruba)*, which hosts fairly varied fauna, including white-faced capuchin monkeys *(Cebus capucinus)*, coyotes *(Canis latrans)* and white-tailed deer *(Odocoileus virginianus)*.

The hill has one of the most extensive cave systems known in Costa Rica. It has some 40 unconnected caverns and to date only half of them have been explored. The deepest is the 240 m Santa Ana Cave.

La Terciopelo is the one that contains the greatest number and most beautiful figures; one of them is called 'El Órgano' because its walls emit several sounds when struck gently. La Trampa has the deepest precipice with a 52 m vertical drop. This cave also has the largest halls. Pozo Hediondo is the only one to contain a lot of bats and the stench in it is due to the bat guano. In La Nicoa large quantities of human remains, utensils and adornments of pre-Columbian native origin have been found.

There are three areas of the park of very special interest: the look-out point at the southern edge of the summit from where one can see a large part of the Gulf of Nicoya; Los Mesones that contain a very tall evergreen forest and from where water is transported to several surrounding towns;

and La Cascada with extremely beautiful terraced deposits of calcareous tufa that form an extraordinary waterfall.

Barra Honda is located in the area known as Bajuras del Tempisque. Visitors can get to the offices from Nicoya via Quebrada Honda-Nacaome (22 km) along partly paved and partly grit roads. Visitors are not permitted to go down into

ENTRE LOS ÁRBOLES CADUCIFOLIOS que tapizan las laderas del cerro Barra Honda destacan los llamativos corteza amarilla que florecen durante el mes de marzo.

OUTSTANDING AMONG the deciduous trees carpeting the slopes of Barra Honda is the striking yellow cortez, which flowers in March.

Barra Honda se localiza en el área denominada Bajuras del Tempisque. A la administración se llega desde Nicoya vía Quebrada Honda-Nacaome-administración (22 km), por caminos en parte pavimentados y en parte lastrados. No se permite bajar a las grutas excepto con acompañamiento de un guía autorizado o con permiso especial de las autoridades del Área de Conservación Tempisque. Un sendero principal conduce a la cima del cerro con desvíos hacia El Mirador y hacia la entrada a las principales cavernas; hay también senderos a La Cascada, Los Mesones y El Bosque de Las Piedras. Contiguo a la administración se localiza un área para acampar con mesas, lavabos y agua potable.

Existe un servicio de autobuses Nicoya-Barra Honda; en Nicoya se pueden alquilar taxis. Hay hoteles, restaurantes y mercados en Nicoya y pulperías en Quebrada Honda. En la administración se pueden contratar servicios de guías y equipo para el descenso a las cavernas. Para cualquier información dirigirse a las oficinas de la Subregional de Nicoya. Telf.: (506) 686-6760; fax: (506) 685-5667. Para contratar el servicio de guías para visitar las cavernas hay que hacerlo con un día de anticipación, al e-mail: act@minae.go.cr

EL HALCÓN REIDOR, una de las rapaces que vive tanto en las áreas abiertas como en las áreas boscosas del bosque seco del Pacífico norte de Costa Rica, también está presente en Barra Honda.

THE LAUGHING FALCON, one of the birds of prey that lives both in open areas and in areas of dry forest in Costa Rica's northern Pacific; it also occurs in Barra Honda.

the caves unless accompanied by an authorized guide or with the special permission of the Tempisque Conservation Area authorities.

There is a main path leading to the summit of the hill with turn-offs to the look-out point and the entrance to the main caves. There are also paths to La Cascada, Los Mesones and El Bosque de las Piedras. Next to the offices there is a camping site with tables, toilets and drinking water.

There are bus services between Nicoya and Barra Honda. In Nicoya, taxis can be hired. There are hotels, restaurants and markets in Nicoya and food shops in Quebrada. At the administration offices it is possible to hire guides and equipment to go down into the caves. For further information, contact the Oficina Subregional de Nicoya on Tel.: (506) 686-6760; fax: (506) 685-5667. Hiring guides for cave visits must be arranged one day in advance, e-mail: act@minae.go.cr

La decoración de los techos y paredes (arriba) de las cavernas de Barra Honda es espectacular. Abajo, la belleza de las laderas del parque nacional.

The roofs and walls (above) of Barra Honda's caves are spectacularly decorated. Below, the beauty of the slopes in the national park.

RESERVA NATURAL ABSOLUTA DE CABO BLANCO

*LA RESERVA NACIONAL ABSOLUTA de Cabo Blanco,
un extraordinario refugio para las aves marinas,
fue una de las primeras áreas protegidas en Costa Rica
y es también una de las más bellas.*

*CABO BLANCO STRICT Nature Reserve,
an extraordinary refuge for seabirds,
besides being one of the first protected areas
in Costa Rica is one of the loveliest.*

LA CREACIÓN DE CABO BLANCO, una de las primeras áreas protegidas del país, fue promovida por Nicolás Wessberg y su esposa Karen Mogensen. Esta reserva tiene mucha importancia para la protección de las aves marinas y es una de las áreas de mayor belleza escénica de la costa del Pacífico. En sus bosques hay un mayor predominio de las especies siempreverdes, aunque mezcladas con especies caducifolias como el pochote *(Bombacopsis quinata)*, el árbol más abundante, con ejemplares que alcanzan los 40 m de altura. Otras especies de árboles grandes, que se observan comúnmente a lo largo de los senderos, son el zapote mechudo *(Licania platypus)*, el ceiba *(Ceiba pentandra)* –que alcanza hasta 60 m de altura–, el guácimo colorado *(Luehea seemannii)* y el camíbar *(Copaifera aromatica)*, que no se encuentra en el resto de la península. Existen unas 150 especies de árboles en la reserva.

A pesar de sus reducidas dimensiones, su fauna es bastante variada, aunque no muy abundante. Además de las chizas o ardillas *(Sciurus variegatoides)* que sí hay en gran cantidad, se observan guatusas *(Dasyprocta punctata)*, venados *(Odocoileus virginianus)*, cusucos *(Dasypus novemcinctus)*,

CABO BLANCO
STRICT NATURE RESERVE

THE DRIVING FORCES BEHIND THE CREATION OF CABO BLANCO, one of Costa Rica's foremost protected areas, were Nicolás Wessberg and his wife Karen Mogensen. This reserve is very important for seabird protection and is one of the most scenically beautiful areas on the Pacific coast. Evergreen species predominate more in its forests although they are mixed with deciduous species such as the spiny cedar *(Bombacopsis quinata)*, the most abundant tree with specimens over 40 m high. Other species of large trees commonly seen along the paths are the sonzapote *(Licania platypus)*, the silk cotton tree *(Ceiba pentandra)* which can grow as much as 60 m high, the cotonron *(Luehea seemannii)* and the camibar *(Copaifera aromatica)*, which is not found elsewhere on the Peninsula. There are 150 tree species in the reserve.

Although not very numerous, the fauna is quite varied. Apart from tree squirrels *(Sciurus variegatoides)* which are found in large numbers, there are agoutis *(Dasyprocta punctata)*, white-tailed deer *(Odocoileus virginianus)*, common long-nosed armadillos *(Dasypus novemcinctus)*, white-nosed coatis *(Nasua narica)*, howler monkeys *(Alouatta palliata)* and white-faced capuchins *(Cebus capucinus)*.

A LA IZQUIERDA, LA PLAYA SILVESTRE de Cabo Blanco y, arriba, una vista aérea del propio cabo, el punto más meridional de la península de Nicoya, tapizado por densos bosques.

ON THE LEFT, THE UNTAMED Cabo Blanco Beach and, above, an aerial view of Cabo (Cape) Blanco itself, the most southerly point on the Nicoya Peninsula, cloaked in dense forest.

En este espacio protegido existen alrededor de ciento cincuenta árboles diferentes. Uno de los más espectaculares y llamativos es el conocido como "el árbol que camina".

This protected area hosts around one hundred and fifty different species of trees. One of the most spectacular and eye-catching is the tree known as 'the walking tree'.

pizotes *(Nasua narica)* y monos congo *(Alouatta palliata)* y cara-blanca *(Cebus capucinus)*. Las aves marinas son muy numerosas, particularmente los pelícanos alcatraces *(Pelecanus occidentalis)*, los rabihorcados magníficos *(Fregata magnificens)*, las águilas pescadoras *(Pandion haliaetus)* y los piqueros pardos *(Sula leucogaster)*. La colonia de esta última especie, con aproximadamente 500 parejas, es la más grande del país. A lo

largo de la costa, dentro de la reserva, existen tres dormideros de pelícanos pardos a los que acuden cada atardecer no menos de 250 ejemplares. La población total de aves en Cabo Blanco es de unas 150 especies.

La isla de Cabo Blanco, situada a 1,6 km al sur de la costa, es un peñón rocoso de paredes verticales con vegetación graminoide rala, algunos arbustos y con mucho guano, que constituye un refugio inexpugnable para las aves marinas. El extremo de Cabo Blanco está constituido por una extensa plataforma rocosa en la que existen infinidad de lagunillas de marea donde viven gran cantidad de pequeños organismos marinos. La porción marina alberga una fauna muy diversa; los cambutes *(Strombus galeatus)* y las langostas *(Panulirus sp.)* son abundantes. Cerca de la playa Colorada y del sendero El Sueco se han encontrado yacimientos arqueológicos prehispánicos.

Cabo Blanco se encuentra en el extremo sur de la península de Nicoya. Se puede llegar desde Nicoya vía Paquera-Cóbano-Montezuma-Cabuya-reserva (152 km), por camino en parte pavimentado y en parte lastrado o desde Puntarenas, por medio de transbordador, vía Paquera-Cóbano-reserva. Desde la administración parten dos senderos: El Sueco, que conduce a la playa de Cabo Blanco, donde se han descubierto enterramientos arqueológicos, y El Danés, que da una vuelta completa por el bosque. En la administración existe un área para almorzar con mesas, lavabos, agua potable y venta de refrescos. Existen servicios de lancha Puntarenas-Paquera y de autobús Paquera-Montezuma. En Cóbano, Montezuma y Cabuya hay hoteles, restaurantes y pulperías; en Montezuma se pueden contratar taxis. Para cualquier información dirigirse a la administración del parque. Telf./fax: (506) 642-0093; e-mail: cablanco@ minae.go.cr

There are a lot of seabirds, particularly brown pelicans *(Pelecanus occidentalis)*, magnificent frigatebirds *(Fregata magnificens)*, ospreys *(Pandion haliaetus)* and brown boobies *(Sula leucogaster)*. The colony of the latter species, with approximately 500 pairs, is the biggest in the country. Along the coast within the reserve there are three brown pelican roosts to which no less than 250 birds retire every evening. The total bird population in Cabo Blanco includes around 150 species.

Cabo Blanco Island, situated 1.6 km off the coast, is a piece of rock with its vertical walls, scarce grassy vegetation, some bushes and a lot of guano, which constitutes an unassailable refuge for seabirds. The Cabo Blanco end is made up of an extensive rocky platform with countless tidal pools where large numbers of small marine organisms live. The marine portion contains very diverse fauna: giant conches *(Strombus galeatus)* and lobsters *(Panulirus* sp.) occur in large numbers. Near Colorada Beach and the El Sueco path pre-Hispanic archeological remains have been found.

Cabo Blanco is at the southern end of the Nicoya Peninsula. It can be reached from Nicoya via Paquera-Cóbano-Montezuma-Cabuya (152 km), along a road that is partly paved and partly grit or from Puntarenas on a ferry via Paquera-Cóbano.

Two paths start from the offices. The El Sueco path leads to Cabo Blanco Beach where archeological remains have been discovered and the El Danés path makes a complete circle of the forest. In the offices there is a picnic area with tables, toilets, drinking water and soft drinks. There are launches between Puntarenas and Paquera and buses between Paquera and Montezuma. In Cóbano, Montezuma and Cabuya there are hotels, restaurants and food shops, and in Montezuma taxis can be hired. For information, contact the park administration on Tel./fax: (506) 642-0093; e-mail: cablanco@minae.go.c

La isla de Cabo Blanco (arriba), con sus paredes verticales prácticamente inaccesibles es un importante refugio para las aves marinas. A la izquierda, un martinete cucharón o chocuaco.

Cabo Blanco Island (above), with its virtually inaccessible sheer walls is an important refuge for seabirds. On the left, a boat-billed heron.

Los abundantes árboles de corteza amarilla (arriba) caracterizan el bosque deciduo de Lomas Barbudal. Abajo, la costa rocosa del Refugio Nacional de Fauna Silvestre Ostional.

The many yellow cortez trees (above) are a characteristic feature of the deciduous forest in Lomas Barbudal. Below, the rocky coast of Ostional National Wildlife Refuge.

RESERVA BIOLÓGICA LOMAS BARBUDAL

Lomas Barbudal adquiere su máxima espectacularidad durante el mes de marzo, cuando los árboles de corteza amarilla *(Tabebuia ochracea)* se cubren totalmente de flores amarillas. Ríos de aguas permanentes como el Cabuyo, en el que existen pozas excelentes para la natación, atraviesan esta reserva.

En Lomas se encuentran seis hábitats diferentes. El bosque deciduo, el bosque ribereño, la sabana, el bosque xerofítico o extremadamente seco, el bosque de robles y el bosque en regeneración. Se trata de un área muy rica en especies de insectos, particularmente de abejas, avispas –tanto sociales como solitarias– y mariposas diurnas y nocturnas.

REFUGIO NACIONAL DE FAUNA SILVESTRE OSTIONAL

La extensa playa Ostional, junto con la playa Nancite en el Parque Nacional Santa Rosa, constituyen las dos áreas más importantes del Pacífico oriental para la nidificación de la tortuga marina lora *(Lepidochelys olivacea)*. La zona habitual de desove, de unos 900 m de largo, se localiza entre el estero del río Ostional, que corre paralelo a la playa, y una punta rocosa que se adentra en el mar. Durante los meses de julio a noviembre tienen lugar las grandes arribadas de hasta 300.000 tortugas que normalmente se producen en la noche y durante el cuarto menguante. También desovan aquí ocasionalmente la tortuga baula *(Dermochelys coriacea)* y la verde del Pacífico *(Chelonia agassizi)*. La escasa vegetación del refugio está formada por un bosque mixto de especies caducifolias, entre las cuales se encuentra el árbol flor blanca *(Plumeria rubra)*. Al sureste de la desembocadura del río Nosara existe un manglar de

considerable tamaño, donde se han identificado más de un centenar de especies de aves.

RESERVAS BIOLÓGICAS GUAYABO, NEGRITOS Y DE LOS PÁJAROS

Estas cuatro islas –las Negritos son dos– que se hallan situadas en ambos extremos del golfo de Nicoya, deben su origen a los movimientos tectónicos que formaron este golfo. La isla Guayabo es un imponente bloque de roca sedimentaria de unos 50 m de altura, con forma romboidal y un difícil acceso. Su importancia radica en que es la mayor de las cuatro áreas de nidificación del pelícano alcatraz *(Pelecanus occidentalis)* que se conocen en el país, con una población de 200 a 300 individuos. Las islas Negritos, formadas por basaltos y brechas del complejo de Nicoya, están cubiertas por un bosque semideciduo, cuyos árboles dominantes son el flor blanca *(Plumeria rubra)*, el pochote *(Bombacopsis quinata)*, el madroño *(Calycophyllum candidissimum)* y el indio desnudo *(Bursera simaruba)*. La isla de los Pájaros es más o menos redonda y tiene forma de domo. La especie dominante es el güisaro *(Psidium guíneense)*.

REFUGIO NACIONAL DE VIDA SILVESTRE CURÚ

Curú contiene una gran variedad de fauna y flora, tanto terrestre como marina. Los hábitats existentes son el bosque semicaducifolio, en el que en la década de los 90 se encontró una especie de cristóbal nueva para la ciencia, el *Platymiscium curuense*, el bosque de ladera, de baja altura y localizado cerca de la playa, el bosque caducifolio, el manglar y la vegetación de playa. Se han observado 233 especies de aves tanto terrestres como marinas. Las tres playas del refugio, de una gran belleza escénica y de arena

LOMAS BARBUDAL BIOLOGICAL RESERVE

LOMAS BARBUDAL is at its most spectacular in March when the yellow cortez trees *(Tabebuia ochracea)* are totally covered with yellow flowers. Rivers with permanent waters like the Cabuyo, in which there are excellent pools for swimming, cross this reserve. In Lomas there are six different habitats. The deciduous forest, the riverine woodland, the savannah, xerophytic or extremely dry woodland, oak forest and regenerated forest. The Lomas Barbudal area is very rich in insect species, especially bees, social and solitary wasps, moths and butterflies.

OSTIONAL NATIONAL WILDLIFE REFUGE

EXTENSIVE OSTIONAL BEACH AND NANCITE BEACH in Santa Rosa National Park represent the two most important nesting areas for the olive ridley sea turtle *(Lepidochelys olivacea)* in the Oriental Pacific. The usual laying zone, some 900 m long, is situated between the estuary of the Ostional River, which runs parallel to the beach, and a rocky point that extends into the sea. From July to November, up to 300,000 turtles gather in great numbers, usually at night and during the waning quarter of the moon.

The leatherback turtle *(Dermochelys coriacea)* and the Pacific green *(Chelonia agassizi)* also occasionally lay there. The refuge's scarce vegetation is made up of mixed woodland of deciduous species, including the frangipani *(Plumeria rubra)*. To the southeast of the mouth of the River Nosara, there is quite a large mangrove swamp where over a hundred bird species have been identified.

GUAYABO, NEGRITOS AND DE LOS PÁJAROS BIOLOGICAL RESERVES

THESE FOUR ISLANDS (THE NEGRITOS MAKE UP TWO) are situated at both ends of the Gulf of Nicoya. They owe their origin to tectonic movements that led to the creation of this gulf. Guayabo Island is an important block of sedimentary rock some 50 m high in the shape of a rhomboid, and access to it is difficult from the pebble beach, which is the result of a former landslide.

Their importance lies in being the largest of the four known nesting areas for the brown pelican *(Pelecanus occidentalis)* in the country with a population of 200 to 300 birds. The Negritos Islands, consisting of basalts and breaches of the Nicoya complex, are covered in semideciduous forest. The predominant trees are frangipani *(Plumeria rubra)*, spiny cedar *(Bombacopsis quinata)*, lancewood *(Calycophyllum candidissimum)* and gumbo-limbo *(Bursera simaruba)*. The Isla de los Pájaros is more or less round and dome-shaped. The predominant species is wild quava *(Psidium guineense)*.

CURÚ NATIONAL WILDLIFE REFUGE

CURÚ NATIONAL WILDLIFE REFUGE CONTAINS a great variety of terrestrial and marine fauna and flora. The existing habitats are semi-deciduous forest, in which a species new to Science – *Platymiscium curuense* – was discovered in the nineties; forest on low-altitude mountain sides near the beach of the refuge; deciduous forest; mangrove swamp and, finally, beach vegetation.

SON MUY VARIADAS LAS MARIPOSAS (arriba) que se multiplican en las numerosas zonas protegidas del Área de Conservación Tempisque. Abajo, la playa principal del Refugio Nacional de Vida Silvestre Curú.

THERE IS A WIDE VARIETY OF BUTTERFLIES (above) in the many protected areas of Tempisque Conservation Area. Below, the main beach of Curú National Wildlife Reserve.

Uno de los mamíferos más comunes en el Área de Conservación Tempisque es el pizote. Se trata de un carnívoro arborícola cuyas costumbres diurnas hacen que sea muy fácil de ver.

One of the most common mammals in Tempisque Conservation Area is the white-nosed coati, a tree-dwelling carnivore whose diurnal habits make it easy to spot.

muy fina, son muy adecuadas para la natación y el buceo a causa del suave oleaje, la poca pendiente y la claridad de sus aguas.

REFUGIO NACIONAL DE VIDA SILVESTRE IGUANITA

ESTA ÁREA RECREATIVA FORMA PARTE DEL Proyecto Turístico de Papagayo e incluye una playa de gran belleza escénica, un manglar muy bien conservado, un estero y un remanente de bosque seco. Tanto la playa como el estero son muy adecuados para la natación. Los monos congo *(Alouatta palliata)* y los garrobos *(Ctenosaura similis)* son aquí muy comunes. Se puede llegar hasta la playa por un camino de tierra que parte de la carretera que conduce a Papagayo.

HUMEDAL RIVERINO ZAPANDÍ

TIENE COMO PROPÓSITO PROTEGER y restaurar las márgenes del río Tempisque, desde la confluencia con el río Ahogados hasta el límite del Parque Nacional Palo Verde. La mejor forma de observar las numerosas especies de aves acuáticas que se reproducen y alimentan en este humedal, incluyendo diversas especies de íbises, garzas y garcetas, es viajando en bote a lo largo del río.

RESERVA FORESTAL TABOGA

ESTA RESERVA FORMA PARTE DE LA Estación Experimental Enrique Jiménez Nuñez, del Ministerio de Agricultura y Ganadería. Está cubierta por bosque seco y de galería. El guanacaste *(Enterolobium cyclocarpum)*, el árbol nacional, es aquí muy abundante. La riqueza en aves es notable; son muy comunes las garzas, las garcillas y las palomas; el jabirú americano o galán sin ventura *(Jabiru mycteria)*, en peligro de extinción, también nidifica aquí. Otras especies abundantes son el mono carablanca *(Cebus capucinus)* y el mapachín *(Procyon lotor)*. Se localiza 5 km al sur de Cañas; varios senderos permiten recorrer esta reserva.

HUMEDAL LAGUNA MADRIGAL

ESTE HUMEDAL, QUE ESTÁ RODEADO POR la Hacienda Solimar, protege una importante colonia de nidificación de aves acuáticas, entre las que sobresalen por su abundancia los garzones *(Mycteria americana)*, las garzas reales *(Egretta alba)* y los corocoros blancos *(Eudocimus albus)*. Se encuentra también en esta laguna una importante población de cocodrilos *(Crocodylus acutus)*. Existe un camino lastrado hasta la Hacienda y luego se debe caminar 2 km.

HUMEDAL PALUSTRINO CORRAL DE PIEDRA

ES UNA LAGUNA DE AGUA DULCE que por recibir agua salobre del río Tempisque presenta condiciones un tanto diferentes a otras lagunas de la región. Gran cantidad de aves acuáticas frecuentan este hábitat; algunas de ellas son la garceta grande *(Egretta alba)*, la garceta nívea *(Egretta thula)* y el corocoro blanco *(Eudocimus albus)*. Navegar por el río Tempisque, en las cercanías de Puerto Humo y adentrarse por el caño que desagua la laguna, constituye el mejor acceso a este humedal.

REFUGIO NACIONAL DE VIDA SILVESTRE LAGUNA MATA REDONDA

ES UN HUMEDAL PALUSTRINO estacional de tipo dulce-mixosalino, hábitat preferente para la alimentación y reproducción de

IGUANITA NATIONAL WILDLIFE REFUGE

THIS RECREATION AREA is part of the Papagayo Tourist Project and includes a very beautiful beach, a very well conserved mangrove swamp, an estuary and a remnant of dry forest. Both the beach and the estuary are very good for swimming. Howler monkeys (Alouatta palliata) and ctenosaurs (Ctenosaura similis) are very common here. It is possible to reach the beach along a dirt track that starts from the road to Papagayo.

ZAPANDÍ RIVERINE WETLAND

THE AIM HERE IS TO PROTECT and restore the edges of the River Tempisque from the confluence with the River Ahogados to the border of the Palo Verde National Park. The best way to observe the many species of water birds that breed and feed in this wetland, including several species of ibis, herons and egrets, is by boat along the river.

TABOGA FOREST RESERVE

THIS RESERVE IS PART of the Enrique Jiménez Nuñez Experimental Station of the Ministry of Agriculture and Livestock. It is covered in dry and gallery forest. The ear tree (Enterolobium cyclocarpum), the national tree, is very common here. The wealth of birds is considerable. Herons, egrets and doves are very common. The threatened jabiru (Jabiru mycteria) also nests here. Other abundant species are the white-faced capuchin (Cebus capucinus) and the common raccoon (Procyon lotor). It is situated 5 km south of Cañas. There are various paths through the reserve.

MADRIGAL LAGOON WETLAND

THIS WETLAND, SURROUNDED BY the Hacienda Solimar, protects an important nesting colony of water birds among which wood stork (Mycteria americana), great egret (Egretta alba) and white ibis (Eudocimus albus) stand out in terms of sheer numbers. In this lagoon there is also a large population of crocodiles (Crocodylus acutus). There is a grit track to the Hacienda (ranch) and then there are two kilometers on foot.

CORRAL DE PIEDRA PALUSTRINE WETLAND

THIS IS A FRESHWATER LAGOON that presents rather different conditions to other lagoons in the region because brackish water from the Tempisque river flows into it. A large number of water birds frequent this habitat, for example, great egret

ARRIBA, UNA DE LAS DOS ISLAS NEGRITOS formada por basaltos y brechas del complejo Nicoya, y la serpiente tamaga.

ABOVE, ONE OF THE TWO NEGRITOS ISLANDS made of basalts and breccia of the Nicoya Complex, and the tamaga snake.

El indio desnudo (arriba) es uno de los árboles más abundantes y característicos del bosque deciduo del Área de Conservación Tempisque. Abajo, tortugas loras desovando.

The gumbo-limbo tree (above) is one of the most common and typical trees of the deciduous forest in Tempisque Conservation Area. Below, nesting Atlantic ridley turtles.

más de 60 especies de aves acuáticas, residentes y migratorias, principalmente el suirirí piquirrojo *(Dendrocygna autumnalis)*, la espátula rosada *(Ajaia ajaja)*, la cerceta aliazul *(Anas discors)*, el carrao *(Aramus guarauna)*, el tántalo americano *(Mycteria americana)* y el jabirú americano *(Jabiru mycteria)*. Se puede llegar en vehículo todoterreno desde el poblado de Rosario, localizado a 6 km de Puerto Humo, a orillas del Tempisque.

REFUGIO NACIONAL DE VIDA SILVESTRE BOSQUE NACIONAL DIRIÁ

PROTEGE LOS BOSQUES SECOS que conforman las cuencas de los ríos Diriá, Enmedio y Verde. La vegetación, conformada por bosques secundarios, bosques de galería, remanentes de bosques primarios y tacotales, protege poblaciones de venados *(Odocoileus virginianus)*, monos congo *(Alouatta palliata)*, osos colmeneros *(Tamandua mexicana)* y saínos *(Tayassu tajacu)*. Este bosque constituye el área recreativa más atractiva de la ciudad de Santa Cruz; el río Diriá tiene excelentes pozas para la natación. Dista 11 km de Santa Cruz, por camino en parte pavimentado y en parte lastrado; en el punto más alto de esta área protegida existe una torre de transmisión que constituye un excelente mirador.

HUMEDAL RÍO CAÑAS

LO CONFORMAN LAS LAGUNAS Estero Largo y Potrero Largo, de la cuenca del río Cañas, que constituyen un importantísimo lugar de alimentación y reproducción para una gran variedad de aves acuáticas, algunas de ellas con poblaciones reducidas. Un camino de tierra que parte de Coyolito, cerca de Santa Cruz, permite llegar hasta la orilla de este humedal.

REFUGIO NACIONAL DE VIDA SILVESTRE CAMARONAL

ESTE REFUGIO ES PARTICULARMENTE importante para la protección de tortugas marinas, debido a que la playa Camaronal es un sitio de nidificación para tortugas baulas *(Dermochelys coriacea)*, loras *(Lepidochelys olivacea)* y de carey *(Eretmochelys imbricata)*, la más escasa de todas. La playa, que ha conservado mucho de su vegetación litoral, es de gran belleza escénica y de oleaje fuerte. Un camino de lastre que parte de Estrada Rávago, cerca de Playa Carrillo, permite llegar hasta este refugio.

ZONA PROTECTORA CERRO LA CRUZ

SE LOCALIZA EN LAS AFUERAS de la ciudad de Nicoya y está constituida por remanentes de bosques secos, bosques secundarios, tacotales y pastizales. Protege varias cuencas hidrográficas y es un sitio de recreación para los habitantes de la ciudad, ligado a tradiciones precolombinas y religiosas. Un camino de tierra que parte de las cercanías de Nicoya permite acceder hasta la cima del cerro.

ZONA PROTECTORA NOSARA

CONTIENE UN BOSQUE SECUNDARIO PREMONTANO de importancia para la conservación de la cuenca hidrográfica que surte de agua a la comunidad de Hojancha. Es también un excelente lugar para observar aves. La Fundación Montealto ha abierto aquí un museo y ofrece instalaciones para el ecoturismo y la investigación biológica. Un camino de tierra de 6 km que parte de Hojancha permite llegar hasta esta zona protectora.

(Egretta alba), snowy egret (Egretta thula) and white ibis (Eudocimus albus). Travelling by boat along the Tempisque river near Puerto Humo and taking the channel that drains it is the best means of access to this wetland.

MATA REDONDA LAGOON NATIONAL WILDLIFE REFUGE

IT IS A SEASONAL PALUSTRINE wetland of the fresh-mixosaline type and constitutes feeding and breeding habitat for over 60 species of resident and migratory water birds, mainly black-bellied whistling-duck (Dendrocygna autumnalis), roseate spoonbill (Ajaia ajaja), blue-winged teal (Anas discors), limpkin (Aramus guarauna), wood stork (Mycteria americana) and jabiru (Jabiru mycteria). It is possible to reach it in a four-wheel drive vehicle from the town of Rosario located 6 km from Puerto Humo, on the banks of the Tempisque.

DIRIÁ FOREST NATIONAL WILDLIFE REFUGE

IT PROTECTS THE DRY FORESTS making up the basins of the Diriá, Enmedio and Verde rivers. The vegetation comprising secondary forests, gallery forests, remnants of primary forests and shrubs protects populations of white-tailed deer (Odocoileus virginiarus), howler monkeys (Alouatta palliata), northern tamandua (Tamandua mexicana) and collared peccary (Tayassu tajacu). This forest is the most attractive recreational area of Santa Cruz City. The River Diriá has excellent pools for swimming. It is 11 km from Santa Cruz along partly paved and partly grit roads. At the highest point of this protected area there is a transmission tower, which makes an excellent viewing post.

RÍO CAÑAS WETLAND

THIS CONSISTS OF the Estero Largo and Potrero Largo lagoons in the basin of the Cañas River. They constitute a very important feeding and breeding site for a large variety of water birds, some with very small populations. A dirt road leaves Coyolito near Santa Cruz and leads to the edge of this wetland.

CAMARONAL NATIONAL WILDLIFE REFUGE

THIS REFUGE IS PARTICULARLY important for the protection of sea turtles due to Camaronal Beach being a nesting site for leatherback turtles (Dermochelys coriacea), olive ridley turtles (Lepidochelys olivacea) and hawksbills (Eretmochelys imbricata), the rarest of all. The beach has conserved a lot of its coastal vegetation and is very beautiful, with big waves. A grit road from Estrada Rávago near Carrillo Beach leads to this refuge.

CERRO LA CRUZ PROTECTION ZONE

IT IS LOCATED ON THE OUTSKIRTS of Nicoya City and is made up of remnants of dry forest, secondary forest, shrub and grassland.

ARRIBA, UN YIGÜIRO, el ave nacional de Costa Rica, también conocido como mirlo pardo. Abajo, el bosque que llega hasta la playa en la reserva de Cabo Blanco.

ABOVE, A CLAY-COLORED ROBIN, Costa Rica's national bird. Below, the forest grows right down to the beach in Cabo Blanco Reserve.

ZONA PROTECTORA ABANGARES

Protege las cuencas hidrográficas que surten de agua a la ciudad de Abangares. En los bosques secundarios premontanos que cubren buena parte de esta zona protectora nace el río Abangares. Aquí existe uno de los sitios de mayor interés histórico de todo el país: el Ecomuseo de las Minas de Oro de Abangares. Algunos caminos de tierra que parten de Abangares permiten adentrarse un poco en esta zona protectora.

RESERVA NATURAL ABSOLUTA NICOLÁS WESSBERG

Cuenta con un bosque húmedo tropical secundario tardío, que contiene árboles como el pochote *(Bombacopsis quinata)*, el jobo *(Spondias mombin)* y el espavel *(Anacardium excelsum)*, y que sirve de hábitat, entre otros, para monos congo *(Alouatta palliata)*, venados *(Odocoileus virginianus)* y cauceles *(Leopardus wiedii)*. Se llega al borde de esta reserva caminando 2 km por la playa desde Montezuma. Esta área protegida está dedicada a la memoria del gran conservacionista Nicolás Wessberg, de origen sueco, y no se encuentra abierta al público.

REFUGIO NACIONAL DE VIDA SILVESTRE WERNER SAUTER

Está constituido por un bosque seco con grandes árboles de tempisque *(Sideroxylon capiri)*, ceiba *(Ceiba pentandra)*, roble de sabana *(Tabebuia rosea)* y cedro amargo *(Cedrela odorata)*. Se han identificado unas 40 especies de aves, incluyendo la urraca copetona *(Calocitta formosa)*, el momoto cejiazul *(Eumomota superciliosa)* y la chachalaca norteña *(Ortalis vetula)*. Los monos congo *(Alouatta palliata)* y carablanca *(Cebus capucinus)* son comunes.

ZONA PROTECTORA PENÍNSULA DE NICOYA

Está conformada por siete unidades de bosques localizados en las partes altas de las montañas del centro de la península. Estos bloques, que contienen bosques primarios intervenidos, bosques secundarios, tacotales y potreros, tienen la importante función de proteger las cuencas hidrográficas de las cuales se surten de agua Jicaral, Lepanto, Paquera y Cóbano. Algunos caminos de tierra que parten de estas poblaciones permiten adentrarse un poco en algunas de las unidades.

En los diferentes humedales de esta área de conservación son muy comunes los bandos de suiriris piquirrojos, mientras que en los bosques deciduos están presentes los vistosos momotos cejiazules.

In the various wetlands of this conservation area flocks of black-bellied whistling-duck are very common, while the deciduous forests are home to colorful turquoise-browed motmot.

It protects several hydrographic basins and is a recreation site for city dwellers, associated with pre-Columbian and religious traditions. An earth road leaves the outskirts of Nicoya and leads to the top of the hill.

NOSARA
PROTECTION ZONE

IT CONTAINS PREMONTANE secondary forest, which is important for the conservation of the drainage basin that provides the Hojancha town with its water. It is also an excellent place for bird watching. The Montealto Foundation has opened a museum there and offers facilities for nature tourism and biological research. A 6 km earth track goes from Hojancha to this protection zone.

NICOYA PENINSULA
PROTECTION ZONE

THIS COMPRISES SEVEN UNITS of forest located in the upper reaches of the mountains in the centre of the Peninsula. These blocks consist of disturbed primary forests, secondary forests and shrubs and fulfill the important function of protecting the drainage basins that supply Jicaral, Lepanto, Paquera and Cóbano with water. Some dirt tracks from these towns allow visitors to venture into the seven units.

ABANGARES
PROTECTION ZONE

THIS PROTECTS THE DRAINAGE BASINS that supply the city of Abangares with water. The Abangares River rises in the pre-

montane secondary forests that cover a sizeable part of this protection zone. Here you can find one of the places of greatest historic interest in the whole country: the Abangares Goldmines Ecomuseum. Dirt tracks leading from Abangares allow visitors to go a little way into this protection zone.

NICOLAS WESSBERG
STRICT NATURE RESERVE

IT CONTAINS A MOIST TROPICAL late secondary forest with trees such as the spiny cedar (Bombacopsis quinata), the wild plum (Spondias mombin) and the espave (Anacardium excelsum) and serves as habitat for howler monkeys (Alouatta palliata), white-tailed deer (Odocoileus virginianus) and margay (Leopardus wiedii), etc. The edge of the reserve can be reached by walking 2 km along the beach from Montezuma. This protected area is dedicated to the memory of the great conservationist Nicholas Wessberg, of Swedish origin, and is not open to the public.

WERNER SAUTER
NATIONAL WILDLIFE REFUGE

THIS NATIONAL REFUGE consists of a dry forest with large tempisque trees (Sideroxylon capiri), silk-cotton tree (Ceiba pentandra), 'roble de sabana' (Tabebuia rosea) and cigar box cedar (Cedrela odorata). Around 40 bird species are found there, including white-throated magpie jay (Calocitta formosa), turquoise-browed motmot (Eumomota superciliosa), and the plain chachalaca (Ortalis vetula). Mantled howler monkeys (Alouatta palliata) and white-throated capuchins (Cebus capucinus) are common here.

LA AMAZONA REAL O LORA (arriba) es una especie bastante común en toda la región noroccidental de Costa Rica. Junto a estas líneas, la bellísima orquídea denominada Vanda tricolor.

THE YELLOW-CROWNED PARROT (above) is quite a common species throughout the north-western region of Costa Rica. Alongside, the gorgeous orchid Vanda tricolor.

EL CRÁTER ACTIVO DEL VOLCÁN POÁS, con su laguna
termomineral, situado a más de 2.700 metros
de altitud, y las densas y espectaculares selvas
del Parque Nacional Braulio Carrillo, en las que
crecen innumerables bromelias, constituyen
dos de las más singulares áreas de conservación
de la Cordillera Volcánica Central.

CORDILLERA VOLCÁNICA CENTRAL

THE ACTIVE CRATER of Poás Volcano,
with its thermomineral lagoon at an altitude
of over 2,700 meters, and the thick
spectacular forests of Braulio Carrillo National
Park, where countless bromeliads grow, are two
of the most outstanding conservation areas
in the Cordillera Volcánica Central.

Parque Nacional Braulio Carrillo

La abrupta topografía del Parque Nacional Braulio Carrillo se encuentra tapizada por un denso y prácticamente inaccesible bosque primario siempreverde caracterizado por su enorme riqueza botánica.

The rugged terrain of Braulio Carrillo National Park is covered in thick and virtually inaccessible primary evergreen forest that features enormous botanical richness.

Este parque, que lleva el nombre del Benemérito de la Patria, Lic. Braulio Carrillo, tercer Jefe de Estado de Costa Rica, se encuentra enclavado en una de las zonas de topografía más abrupta del país. Casi todo el paisaje está constituido por altos complejos volcánicos, densamente cubiertos de bosques y surcados por numerosos ríos caudalosos que forman profundos cañones, a veces de paredes verticales. La topografía y la alta precipitación, de unos 4.500 mm anuales, dan lugar a la formación de infinidad de saltos de agua que se observan por todas partes.

BRAULIO CARRILLO NATIONAL PARK

THIS PARK, WHICH IS NAMED AFTER THE DISTINGUISHED son of the motherland, Braulio Carrillo, Costa Rica's third Head of State, is situated in one of the most rugged zones in the country. Almost all the countryside consists of high groups of volcanoes, densely covered in forests and furrowed by numerous swift flowing rivers that form deep canyons with sometimes vertical walls. The topography and high precipitation of around 4,500 mm per year give rise everywhere to countless waterfalls.

There are three volcanic edifices without any recorded activity in the park. The first is Barva at 2,906 m, which is a strato-

PROCEDENTES DE DOS QUEBRADAS DIFERENTES, el río Sucio, de aguas turbias y amarillentas, y el río Hondura, cuyas aguas son claras y transparentes, se unen en el interior del parque nacional.

COMING FROM TWO DIFFERENT GORGES, the Sucio River, with its turbulent yellowish waters, and the Hondura River, whose waters are clear and transparent, merge in the interior of the national park.

Musgos, líquenes y epifitas (arriba) cubren los troncos de los árboles de estas selvas. A la derecha, una de las espectaculares cascadas de este parque nacional, la tangara azulada o viuda, y la serpiente mano de piedra.

Mosses, lichens and epiphytes (above) cover the trunks of the trees of these forests. On the right, one of the spectacular waterfalls in this national park, the blue-gray tanager and 'mano de piedra' snake.

En el parque se encuentran tres edificios volcánicos sin registros históricos de actividad: el Barva, de 2.906 m, que es un estratovolcán con varios cráteres, dos de los cuales se encuentran ocupados por la laguna del Barva, de unos 70 m de diámetro y la laguna La Danta o Copey, de unos 50 m; el cerro Cacho Negro, de 2.250 m, tiene forma bastante cónica y se observa muy bien desde la carretera que cruza el parque, y el complejo de los cerros Zurquí, formado por un conjunto de antiguos conos muy empinados (como, por ejemplo, el Chompipe y el Turú), que se ven hacia el noroeste al entrar al parque desde San José.

La mayor parte de la superficie de esta área protegida está cubierta por un denso bosque primario siempreverde, en el que se estima existen unas 6.000 especies de plantas. Los bosques de mayor altura y riqueza florística se encuentran en las partes más bajas, frente a la llanura caribeña. En general son muy abundantes las heliconias o platanillas *(Heliconia* spp.), las palmas, las bromeliáceas y las sombrillas de pobre *(Gunnera insignis)*, inconfundibles por el inmenso tamaño de sus hojas. Entre los árboles es común el caobilla o cedro macho *(Carapa guienensis)*, una especie maderable de gran importancia.

La fauna es abundante, en particular la avifauna, de la que se han observado 347 especies, entre las que se hallan el bellí-

La complicada orografía del terreno y una pluviosidad en torno a los 4.500 mm anuales dan lugar a la formación de una infinidad de saltos de agua. A la izquierda, un saltamontes.

The varied terrain and rainfall of around 4,500 mm per year give rise to countless waterfalls. On the left, a grasshopper.

volcano with several craters, two of which are occupied by the 70 m diameter Barva lagoon and the 50 m La Danta or Copey lagoon. The second is the 2,250 m conical Cacho Negro hill that can be seen very well from the road that runs across the park. Thirdly, there are the Zurquí, made up of a group of very steep former cones (for example, Chompipe and El Turú), which are visible to the northwest as one enters the park from San José.

Most of this protected area is covered in dense evergreen primary forest thought to contain 6,000 species of plants. The highest forests and the richest in plantlife are found in the lowest parts opposite the Caribbean plain. In general, there are lots of heliconias *(Heliconia* spp.) palms, bromeliads and poor man's umbrella *(Gunnera insignis)*, unmistakeable for its enormous leaves. The most common trees include crabwood *(Carapa guienensis)*, a very important timber species.

There is an abundance of wildlife, especially birds; 347 bird species have been recorded, including the extremely beautiful resplendent quetzal *(Pharomachrus mocinno)*, the curious bare-necked umbrellabird *(Cephalopterus glabricollis)*, which migrates altitudinally, the osprey *(Pandion haliaetus)* and the clay-coloured robin *(Turdus grayi)*, which is the national bird.

EN ESTAS ABRUPTAS MONTAÑAS surcadas de barrancos se multiplican los cursos de agua. Desde torrentes (derecha) a ríos caudalosos toda la geografía del parque destaca por la abundancia de agua.

IN THESE RUGGED MOUNTAINS furrowed by gorges there are numerous water courses. Ranging from torrents (right) to mighty rivers, they make the entire park outstanding for the abundance of water.

La laguna del Barva ocupa uno de los cráteres del volcán del mismo nombre, uno de los tres edificios volcánicos de esta área protegida de los que no se tienen registros históricos de actividad.

Barva Lagoon lies in one of the craters of the volcano of the same name. The volcano is one of this protected area's three volcanic edifices for which historical records of activity do not exist.

simo quetzal *(Pharomachrus mocinno)*, el extraño pájaro sombrilla cuellicalvo *(Cephalopterus glabricollis)* –que emigra altitudinalmente–, el águila pescadora *(Pandion haliaetus)* y el yigüirro *(Turdus grayi)*, el ave nacional. Entre los mamíferos destaca la presencia de las dantas o tapires *(Tapirus bairdii)* y tolomucos *(Eira barbara)*, pero sobre todo la gran cantidad de especies de murciélagos que aquí viven. Las ranas y sapos son muy numerosos, especialmente en el área del Bajo de la Hondura; una especie endémica es el sapo *Bufo holdridgei*, común en las zonas del volcán Barva y de Bajos del Tigre.

Un rasgo histórico importante en este parque es la presencia de la calzada Braulio Carrillo, formada por piedras acomodadas, que sigue una ruta aproximadamente paralela a la actual carretera, y que constituyó la antigua vía de comunicación entre el Valle Central y la costa del Caribe. El Parque Nacional Braulio Carrillo se encuentra en la Cordillera Volcánica Central. La carretera San José-Puerto Limón lo cruza de noreste a suroeste; esta vía cuenta con excelentes miradores (no adecuadamente marcados) que permiten observar el bosque, los saltos de agua y los cañones de los ríos. Esta área protegida está dividida en tres secciones; la administración principal se encuentra en la sección Zurquí, en el kilómetro 20 de la carretera San José-Limón, 500 m antes del túnel Zurquí. En esta sección existen los senderos Los Niños –circular– y Los Guarumos. La sección Quebrada González tiene la administración 13 km después del túnel Zurquí, y cuenta con el sendero Las Palmas.

La sección Barva tiene la administración cerca de Sacramento y cuenta con los senderos Principal, Laguna Barva, Laguna Copey, El Mirador, Volcán Poás y Sendero Secreto. El acceso al volcán Barva se puede realizar desde Heredia, vía Barva-San José de la Montaña-Sacramento-administración (23 km), por camino en parte pavimentado y en parte lastrado. En Quebrada González y Barva existen áreas para almorzar con mesas, lavabos y agua potable; en el primer sitio hay una sala de exhibición.

Existen servicios de autobuses San José-Guápiles que se detienen en los puestos de administración de Zurquí y Quebrada González, y en Heredia-Porrosatí, población que queda a 8 km de la administración de la sección Barva. En San José y Heredia existen hoteles, restaurantes y mercados, y en Porrosatí se localizan pulperías. Para mayor información dirigirse a la oficina Regional del Área de Conservación Cordillera Volcánica Central. Telfs.: (506) 290-8202; (506) 290-1927; (506) 290-1973; fax: (506) 290-4869; e-mail: accvc@ns.minae.go.cr

Other noteworthy mammals include tapirs *(Tapirus bairdii)* and tayras *(Eira barbara)*, and above all the large number of bats. Frogs and toads are very numerous, especially in the Bajo de la Hondura area. The toad *(Bufo holdridgei)* is an endemic species common in the Barva Volcano and Bajos del Tigre areas.

One important historic feature in this park is the presence of the Braulio Carrillo road. It is an arrangement of stones that describe a route more or less parallel to the present road, and was the former communication route between the Central Valley and the Caribbean coast.

Braulio Carrillo National Park is located in the Central Volcanic Cordillera. The San José to Puerto Limón road crosses it from northeast to southwest. This road offers excellent look out points (not adequately marked) that provide visitors with views of the forest, waterfalls and river canyons.

This protected area is divided into three sections. The main office is in the Zurquí sector at kilometer 20 on the San José to Limón road, 500 m before the Zurquí tunnel. In this sector there is a circular path called Los Niños and one called Los Guarumos.

The Quebrada González sector offices are 13 km after the Zurquí tunnel, and there is also the Las Palmas path. The Barva sector offices are near Sacramento and the following paths exist: Principal, Laguna Barva, Laguna Copey, El Mirador, Poás Volcano and Sendero Secreto (Secret Path). Access to the Barva volcano is from Heredia via Barva, San José de la Montaña and Sacramento (23 km) on partly paved and partly grit roads. In Quebrada González and Barva there are picnic areas with tables, toilets and drinking water. Quebrada González has an exhibition room.

There are bus services between San José and Guápiles which stop at the offices in Zurquí and Quebrada González;

and between Heredia and Porrosatí, a town 8 km from the offices in the Barva sector. In San José and Heredia there are hotels, restaurants and markets, and in Porrosatí there are food shops. For more information, contact the regional office of the Cordillera Volcánica Central Conservation Area. Tel.: (506) 290 8202; (506) 290-1927; (506) 290-1973; fax: (506) 290-4869; e-mail: accvc@ns.minae.go.cr

EN LOS BOSQUES PRIMARIOS SIEMPREVERDES es muy habitual la presencia de nieblas más o menos densas que contribuyen a mantener la alta humedad imprescindible para el desarrollo de estas masas forestales.

FAIRLY THICK MISTS are a common feature of primary evergreen forests, helping to keep up the high moisture levels crucial to the growth of this kind of forest.

MONUMENTO NACIONAL GUAYABO

Es EL ÁREA ARQUEOLÓGICA MÁS IMPORTANTE y de mayor tamaño que se ha descubierto hasta ahora en el país. Guayabo forma parte de la región cultural denominada Intermontano Central y Vertiente Atlántica. Su ocupación parece remontarse al año 1000 a.C., aunque el mayor desarrollo del cacicazgo se produjo alrededor del 300 al 700 d.C., época en la que se construye-ron las estructuras de piedra que se observan hoy día; el abandono del sitio parece haberse producido hacia el año 1400 d.C. Guayabo tuvo una destacada posición política y religiosa y a su alrededor existieron aldeas que alojaron una población calculada en unas 1.500 a 2.000 personas. Los principales rasgos arquitectónicos, unos 50 descubiertos hasta la fecha, son las

ADEMÁS DE CALZADAS Y GRADAS (arriba), muchas de ellas restauradas, en el yacimiento arqueológico sobresalen sus acueductos abiertos y cerrados, algunos aún en uso, y los tanques de captación para almacenar agua.

BESIDES PAVED THOROUGHFARES and terraces (above), many of them restored, the archeological remains include outstanding open and closed aqueducts, some still in use, and cistern tanks for storing water.

GUAYABO
NATIONAL MONUMENT

IT IS THE MOST IMPORTANT AND LARGEST ARCHEOLOGICAL AREA so far discovered in the country. Guayabo is part of the cultural region known as the Central Intermontane and Atlantic Basin. It appears to have been occupied from the year 1000 B.C. although the local chiefdom developed most around 300 to 700 A.D. when the stone structures that can be seen today were built. It would appear to have been abandoned around the year 1400 A.D. Guayabo held a prominent political and religious position, and in the surrounding area there were villages holding an estimated population of around 1,500 to 2,000 people.

The main architectural features - about 50 discovered so far - are the paved roadways, steps or inclines to bridge height

GUAYABO ES EL ÁREA ARQUEOLÓGICA más importante de Costa Rica. Aunque sus orígenes son anteriores, fue en el primer milenio de nuestra era cuando se construyeron las estructuras de piedra que hoy se conservan.

GUAYABO IS THE MOST IMPORTANT archeological area in Costa Rica. Although it originated prior to the first millennium AD, it was that period which saw the construction of the stone structures preserved there now.

LOS MONOLITOS Y LOS PETROGLIFOS se encuentran un poco por todas partes en el yacimiento arqueológico. Algunos de estos últimos poseen símbolos que aún no han sido descifrados.

MONOLITHS AND PETROGLYPHS are dotted around the archeological site. Some of the petroglyphs bear symbols that have yet to be deciphered.

timos se encuentran por todas partes y algunos poseen símbolos aún no descifrados. Objetos de oro, cerámica y otras piezas arqueológicas del lugar se exhiben en el Museo Nacional.

Los espacios cercanos al sitio arqueológico presentan una vegetación secundaria abierta, producto de una antigua extracción maderera. En el cañón del río Guayabo, próximo al área protegida, se encuentra una muestra de los bosques altos siempreverdes típicos de la región, con árboles como el tirrá *(Ulmus mexicana)* y el cerillo *(Symphonia globulifera)*. La fauna es pobre y escasa debido a la poca extensión del monumento; lo más visible son las aves, entre las que destacan por su abundancia los tucanes piquiverdes *(Ramphastos sulfuratus)* y las oropéndolas de Montezuma *(Psaracolius montezuma)*. Con frecuencia se observan también pizotes *(Nasua narica)* y cauceles *(Felis wiedii)*.

Este monumento nacional se encuentra ubicado en la falda sur del volcán Turrialba, a 19 km al norte de la ciudad del mismo nombre, por camino en parte pavimentado y en parte lastrado. La administración se ubica 50 m antes de la entrada al parque; aquí se inicia un sendero que baja hasta el fondo del río Guayabo.

Dentro del monumento hay una estación de investigaciones arqueológicas, una sala de exhibiciones, un mirador desde el cual se observa toda el área arqueológica y una zona para almorzar con mesas, lavabos y agua potable.

Existe un servicio de autobuses Turrialba-Colonia Guayabo, población que se localiza 2 km antes del monumento. En Turrialba hay hoteles, restaurantes y mercados y se pueden alquilar taxis, y en Colonia Guayabo hay pulperías. Para cualquier tipo de información dirigirse a la Oficina Subregional Turrialba, Telf./fax: (506) 556-9507, o a la casa de administración del monumento: (506) 559-1220; e-mail: accvc@minae.go.cr

calzadas o pisos, las gradas o planos inclinados para superar los desniveles, los muros de contención, los puentes, los montículos utilizados como basamento para las viviendas, los acueductos abiertos y cerrados –muchos de ellos aún en servicio– y los tanques de captación para el almacenamiento del agua procedente de los acueductos. Los objetos que más llaman la atención del visitante son los monolitos y los petroglifos; estos úl-

differences, retaining walls, bridges, mounds used as the bases for dwellings, open and closed aqueducts, many of which are still operative, and the catchment tanks for storing water from the aqueducts.

The objects that most catch the visitors' attention are the monoliths and the petroglyphs. The latter are everywhere and some have as yet undeciphered symbols. Gold and ceramic objects and other archeological pieces from the site are on exhibition at the National Museum.

The areas near the archeological site present open secondary vegetation, the product of a former wood extraction operation. In the Guayabo River Canyon near the protected area there is an example of the high evergreen forests typical of the region, with trees like the elm (Ulmus mexicana) and the manni (Symphonia globulifera). There is little animal life due to the small size of the area.

The birds are the most visible component. Amongst the ones that stand out for sheer numbers are the keel-billed toucan (Ramphastos sulfuratus) and the Montezuma oropendola (Psara-colius montezuma). White-nosed coatis (Nasua narica) and margay (Felis wiedii) are also frequently seen.

This National Monument is located on the lower slopes of the Turrialba Volcano, 19 km north of the city of the same name along partly paved and partly grit roads. The offices are 50 m in front of the park entrance; this is the start of a path that goes down to the River Guayabo. At the Monument there is an archaeological research station, an exhibition room, a viewing point from which the whole archeological area can be seen, and a picnic area with tables, toilets and drinking water.

There is a bus service between Turrialba and Colonia Guayabo, a town located 2 km before the Monument. In Turrialba there are hotels, restaurants and markets, and taxis can be hired. There are grocery shops in Colonia Guayabo.

For any kind of information, please contact the Turrialba Subregional Office: Tel./fax: (506) 556-9507, or the Monument's Administration House helpline (506) 559-1220; e-mail: accvc@minae.go.cr

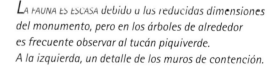

LA FAUNA ES ESCASA debido a las reducidas dimensiones del monumento, pero en los árboles de alrededor es frecuente observar al tucán piquiverde. A la izquierda, un detalle de los muros de contención.

ALTHOUGH THERE IS LITTLE WILDLIFE due to the fact that the site is small, it is often possible to spot the keel-billed toucan on the surrounding trees. On the left, part of the retaining walls.

Parque Nacional
Volcán Irazú

El Irazú o "Santabárbara mortal de la naturaleza", como ha sido llamado, es un estratovolcán activo de forma subcónica irregular, de 3.432 m de altitud, lo que lo convierte en el más alto del país. Cuenta con una larga historia de erupciones y ciclos eruptivos; su actividad se ha caracterizado por la emisión de grandes nubes de vapor, cenizas y escorias, que ascienden de forma violenta, a menudo acompañadas por sacudidas sísmicas locales o regionales, por ruidos subterráneos o retumbos, que a veces se escuchan en el Valle Central, y por el lanzamiento de piedras, ocasionalmente incandescentes. El primer relato histórico de una erupción data de 1723; el último período eruptivo fuerte tuvo lugar entre 1963-65. En la actualidad presenta una continua actividad fumarólica y se cree que podría entrar en actividad eruptiva fuerte en cualquier momento. Desde su cúspide, en días despejados es posible observar los dos océanos y la mayor parte del territorio costarricense.

En la cima existen tres cráteres mayores. El Principal, de forma casi circular, tiene un diámetro de 1.050 m y una profundidad de 250 a 300 m, presentando en su fondo una laguna no permanente de aguas de color verde-amarillento. Otro cráter es el Diego de la Haya, de forma circular, de 690 m de diámetro y 80 m de profundidad, que se encuentra taponado y en el que frecuentemente las lluvias forman en su fondo plano una pequeña laguna. Estas dos estructuras se encuentran

El volcán Irazú es el más alto de Costa Rica. La fotografía muestra los tres cráteres situados en la cima de este estratovolcán que presenta todavía una actividad fumarólica.

Irazú Volcano is the highest in Costa Rica. The photo illustrates the three craters on the summit of this stratovolcano. Still active, it currently has fumaroles.

Irazú Volcano National Park

IRAZÚ OR 'NATURE'S POWDERKEG' as it has been called is an irregularly subconical active stratovolcano. At 3,432 m high, it is the highest in the country, and has a long history of eruptions and eruption cycles. They typically consist of powerful emissions of large clouds of steam, ashes and scoria, often accompanied by local or regional seismic tremors; by subterranean rumblings, which can sometimes be heard in the Central Valley and by showers of rocks, which are occasionally incandescent. The first historic account of an eruption dates from 1723; the last period of strong activity took place between 1963 and 1965. At present, there is continuous fumarole activity and it is believed that it could become violently active at anytime. On clear days, it is possible to see the two oceans and most of Costa Rica from the top of Irazú.

At the top there are three main craters. El Principal is almost circular, 1,050 m in diameter and 250 to 300 m deep. At its base, there is a temporary lagoon with greenish yellow water. Diego de la Haya crater, which is circular, 690 m in diameter

EN LAS LADERAS VOLCÁNICAS aparece una vegetación rala y achaparrada (arriba) formada principalmente por arrayanes, un arbusto de porte pequeño y hojas coriáceas. Junto a estas líneas, el cráter Diego de la Haya.

ON THE SIDES OF THE VOLCANO stunted vegetation grows (above) chiefly consisting of arrayan, a short shrub with leathery-textured leaves. Alongside, Diego de la Haya Crater.

ARRIBA, VISTA AÉREA DEL CONO DEL VOLCÁN IRAZÚ. A la izquierda, un colibrí morado y, a la derecha, el cráter Principal, de forma circular, con su laguna de aguas de color verde-amarillento.

ABOVE, AERIAL VIEW OF IRAZÚ VOLCANO. On the left, a violet sabrewing hummingbird and, on the right, the crater El Principal, circular and containing a lagoon with yellowy-green water.

*L*A FLORA QUE CRECE EN ESTE PARQUE NACIONAL, *como la que nos muestra la fotografía, ha tenido que adaptarse no sólo a la altitud –superior a los tres mil metros–, sino también a la naturaleza de los terrenos volcánicos.*

*T*HE FLORA IN THIS NATIONAL PARK, *like that in the photograph, has had to adapt not only to the altitude –over three thousand meters–, but also to the volcanic terrain.*

rodeadas parcialmente en el lado sur por los restos del gigantesco cráter de una caldera. Otros dos pequeños cráteres están localizados al sureste del primero y en los flancos del volcán pueden identificarse también dos conos parásitos.

La flora se ha visto fuertemente alterada a causa de las erupciones. La mayor parte del parque presenta una vegetación rala y achaparrada, formada principalmente por arrayanes (*Vaccinium consanguineum*), un arbusto de porte pequeño y hojas coriáceas. En algunos pequeños parches de bosques primarios y secundarios los árboles más abundantes son el lengua de vaca (*Miconia* sp.), el roble negro (*Quercus costaricensis*), el cacho de venado (*Oreopanax xalapensis*) y el azahar de monte (*Clusia odorata*). La fauna del Irazú es muy pobre; los mamíferos más abundantes son el conejo de monte (*Sylvilagus brasiliensis*) y el coyote (*Canis latrans*); se han observado también

tigrillos (*Felis tigrina*). Entre las aves son abundantes los colibríes y el junco paramero (*Junco vulcani*).

El Parque Nacional Volcán Irazú se encuentra en la Cordillera Volcánica Central. Una carretera asfaltada de 32 km que parte de Cartago permite llegar prácticamente hasta el borde de los cráteres Principal y Diego de la Haya. Existe un mirador que permite observar el cráter Principal. No está autorizado caminar por las áreas marcadas como de alto riesgo, ni bajar al fondo de los cráteres. Dos kilómetros antes de los cráteres existen un puesto de información y un área para almorzar con mesas, lavabos y agua potable. Hay un servicio de autobuses los sábados y domingos desde San José y Cartago. A lo largo de la vía de acceso al parque se encuentran hoteles, restaurantes y pulperías. Para mayor información dirigirse a la administración del parque nacional. Telf.: (506) 551-9398, 551-2970; fax: (506) 552-4823.

and 80 m deep. It is blocked and rainwater frequently collects in the flat bottom, forming a small lagoon. These two structures are partially surrounded on the southern side by the remains of the giant crater of a caldera. Two other small craters are located to the southeast of the first one. On the flanks of the volcano two parasitic cones can be seen.

The flora has been greatly altered due to the eruptions. Most of the park presents stunted vegetation, mainly made up of 'arrayan' *(Vaccinium consanguineum)*, a small bush with leathery leaves. In some small patches of primary and secondary forest the most abundant trees are the miconia *(Miconia* sp.), the black oak *(Quercus costaricensis)*, the growing stick *(Oreopanax xalapensis)* and the mountain mangrove *(Clusia odorata)*.

The fauna of Irazú is very poor, the most frequent mammals being the eastern cottontail *(Sylvilagus brasiliensis)* and the coyo-

te *(Canis latrans)*. Little spotted cat *(Felis tigrina)* has also been seen. Among the birds, there are many hummingbirds and volcano junco *(Junco vulcani)*.

Irazú Volcano National Park is situated in the Central Volcanic Cordillera. An asphalted road runs the 32 km between Cartago almost to the edge of El Principal and Diego de la Haya craters. There is a look-out point for views of El Principal crater. Visitors are not allowed to walk through areas marked as high risk, nor go down into the craters. Two kilometers before arriving at the craters there is an information stand and a picnic area with tables, toilets and drinking water. There is a bus service on Saturdays and Sundays from San José and Cartago. Along the access road to the park there are hotels, restaurants and grocery shops. For more information, contact the national park offices. Tel.: (506) 551-9398, 551-2970; fax: (506) 552-4823.

EN ESTA VISTA GENERAL de la cima del volcán Irazú, con sus tres cráteres principales sobresaliendo sobre un mar de nubes, se aprecian las huellas de la actividad volcánica no exenta de una serena belleza.

IN THIS OVERALL VIEW OF THE SUMMIT of Irazú Volcano, with three main craters standing out above a sea of cloud, it is possible to make out the signs of volcanic activity, not devoid of a serene beauty.

Parque Nacional Volcán Poás

EL POÁS, UN ESTRATOVOLCÁN ANDESÍTICO-BASÁLTICO de 2.708 m de altitud, posee una impresionante belleza escénica y es uno de los tres volcanes del continente accesibles por carretera pavimentada que llega hasta prácticamente el borde del cráter.

De forma subcónica, posee seis depresiones caldéricas en su parte superior. El cráter Principal es una enorme hoya de casi 2 km de diámetro y 300 m de profundidad. En el fondo de este cráter se encuentra una laguna termomineral de unos 350 m de diámetro. Cuando en ocasiones se seca se intensifica la emisión de azufre y se producen lluvias ácidas que dañan la vegetación y los cultivos de sus laderas. Al norte del cráter activo se localiza el cono von Frantzius, que constituye el más viejo centro eruptivo, hoy inactivo, de la cima del macizo. Al suroeste existe otro cono denominado Botos, que está ocupado actualmente por una laguna fría de unos 400 m de diámetro y de una gran belleza escénica. El volcán presenta erupciones cíclicas plumiformes, semejantes a las de un géiser, que consisten en columnas de aguas lodosas

LA ARDILLA DEL POÁS, de color amarillento y con una poblada cola casi tan grande como su cuerpo, es uno de los mamíferos que se pueden observar más fácilmente a lo largo de los senderos de este parque nacional.

THE POÁS SQUIRREL, yellowish and with a bushy tail almost as big as its body, is one of the mammals that can be most easily spotted along the paths of this national park.

Poás Volcano National Park

Poás is an andesitic–basaltic stratovolcano 2,708 m high. It is impressively beautiful and is one of the three volcanoes on the continent accessible along a paved road that almost reaches the crater edge.

Subconical in shape, the upper part has three caldera depressions. The main crater is an enormous hollow almost 2 km in diameter and 300 m deep. At the bottom of this crater there is a thermomineral lagoon some 350 m across. When it occasionally dries out, the sulphur emissions become more intense and produce acid rain that damages the vegetation and the fields on its sides. To the north of the active crater there is the von Frantzius cone, the oldest eruption point, which today is inactive, on the peak of the massif. To the southwest there is another cone called Botos, which is currently occupied by a very beautiful cold lagoon some 400 m across. The volcano experiences plumiforme cyclical eruptions similar to those of a geyser, which consist of columns of muddy water together

Vista general del complejo volcánico del volcán Poás con el cráter Principal en primer término en el que se aprecian las fumarolas que salen junto a su laguna y al fondo la laguna Botos.

Overall view of the series of volcanic landforms on Poás Volcano. In the main crater in the foreground the fumaroles that emerge alongside its lagoon are visible, and in the background, Botos Lagoon.

Los conos volcánicos se encuentran rodeados de un denso bosque, muchas veces prácticamente impenetrable, que alberga una variada avifauna. A la derecha, una de las gigantescas hojas nervadas de la sombrilla de pobre.

Volcanic cones are surrounded by thick and often virtually impenetrable forest, which hosts varied wildlife. On the right, one of the huge veined leaves of the poorman's umbrella.

acompañadas de vapor, que se elevan desde unos cuantos metros hasta varios kilómetros. Estas erupciones le han valido al Poás la fama de ser el géiser más grande del mundo. El último período eruptivo intenso, con emisión de cenizas, gases y piedras incandescentes, acompañadas de ruidos prolongados, tuvo lugar entre 1952 y 1956.

El parque presenta cuatro hábitats principales. Una zona alrededor del cráter desprovista de vegetación o con sólo algunas especies adaptadas como el helecho lengua *(Elaphoglossum lingua)*. El área de los arrayanes *(Pernettya coriacea* y *Vaccinium poasanum)* se encuentra ocupada por una vegetación enana que no

with steam that rise from a few meters to several kilometers. These eruptions have made Poás famous as the biggest geyser in the world. The last period of intense eruption, with ash, gas and incandescent rocks together with continual noise, took place between 1952 and 1956.

The park has four main habitats. One area around the crater devoid of vegetation or with only a few adapted species like the paddle fern *(Elaphoglossum lingua)*. The area of the 'arrayanes' *(Pernettya coriacea* and *Vaccinium poasanum)* is covered in dwarf vegetation that does not grow over 3 m high. The stunted forest can be seen along the path between the main

El valle del Poás, con sus extensos pastizales para el ganado vacuno, destaca por su belleza. Al fondo se aprecia la silueta del volcán. A la izquierda, una hembra del colibrí brillante coroniverde.

Poás Valley, with its extensive grazing land, is very beautiful. In the background is the outline of the volcano. On the left, a female green-crowned brilliant hummingbird.

EL BOSQUE NUBOSO, MUY HÚMEDO Y UMBROSO, que rodea la laguna Botos alberga numerosas plantas (arriba), muchas de ellas epifitas, de una rara belleza. A la derecha, el cráter Principal rodeado de nubes.

THE VERY HUMID MOIST AND SHADY cloud forest surrounding Botos Lagoon hosts numerous plants (above), many of them epiphytes, of a rare beauty. On the right, the main crater girded in cloud.

Sobre estas líneas, una vista aérea del sector de recepción del parque nacional, con la laguna Botos al fondo, y detalles de las paredes del cráter Principal.

Above, an overall view of the reception sector of the national park, with Botos Lagoon in the background, and details of the walls of the main crater.

sobrepasa los 3 m de altura. El bosque achaparrado se observa a lo largo del sendero entre el cráter Principal y la laguna Botos; es casi impenetrable y está formado por árboles muy retorcidos. El bosque nuboso, muy húmedo y umbroso, rodea la laguna Botos y la parte de atrás del Potrero Grande; aquí la mayoría de los árboles alcanzan los 20 m de altura y están totalmente cubiertos de musgos, hepáticas y otras plantas epifitas, destacando el copey *(Clusia odorata)* y el cedrillo *(Brunellia costaricensis).*

Aunque la fauna en general es escasa, la avifauna es abundante. Entre las 79 especies de aves presentes se pueden mencionar varias de colibríes y el quetzal *(Pharomachrus mocinno),* el ave más bella del continente. Un mamífero interesante es la ardilla del Poás *(Syntheosciurus poasensis),* de color amarillento rojizo y cuya cola es tan larga como su cuerpo.

El volcán Poás se localiza en la Cordillera Volcánica Central. A la administración se llega vía San José-Alajuela-Fraijanes-Poasito-administración (56 km), por carretera pavimentada. Este parque cuenta con un excelente centro para visitantes donde hay exhibiciones, se dan conferencias y audiovisuales y existen lavabos y una cafetería. Desde la administración parten los senderos Cráter Principal y Laguna y cerca del cráter Principal se encuentra un área para almorzar con mesas, lavabos y agua potable. No está permitido bajar a los cráteres. Existe un servicio de autobuses desde San José. A lo largo de toda la vía hay una gran cantidad de restaurantes, pulperías y tiendas de recuerdos. Para cualquier tipo de información dirigirse a la administración del parque nacional. Telf.: (506) 482-2424; fax: (506) 482-2165; e-mail: vpoas1971@hotmail.com

crater and Botos Lagoon. It is almost impenetrable and is made up of very twisted trees. The very moist and shady cloud forest surrounds Botos Lagoon and the area behind Potrero Grande. Here, most of the trees are up to 20 m high and are completely covered in mosses, Hepaticae and other epiphytic plants, especially copey *(Clusia odorata)* and cedrillo *(Brunellia costaricensis).*

Although animal life in general is scarce, there are lots of birds. Among the 79 species of birds found there, special mention may be made of several hummingbirds and the resplendent quetzal *(Pharomachrus mocinno),* the most beautiful bird on the continent. The Poás squirrel *(Syntheosciurus poasensis)* is an interesting mammal that is yellowy red in colour with a tail as long as its body.

Poás Volcano is located in the Central Volcanic Cordillera. The administration offices can be reached via San José-Alajuela-Fraijanes-Poasito (56 km) by paved road. This park has an excellent visitor center where there are exhibitions, talks and audiovisual presentations. It is equipped with toilets and a cafe. The Principal Crater and Laguna paths leave from the offices, and near the Principal crater there is a picnic area with tables, toilets and drinking water. Visitors cannot go into the craters. A bus service operates from San José. Along the entire route there are many restaurants, grocery stores and souvenir shops. For all information, contact the national park administration on Tel.: (506) 482-2424; fax: (506) 482-2165; e-mail: vpoas1971@hotmail.com

AL FINAL DEL SENDERO DE LA LAGUNA BOTOS se llega a un mirador desde el que se contempla el paisaje que muestra la fotografía. Este antiguo cono volcánico posee un diámetro de unos 400 metros y está rodeado por un denso bosque nuboso.

THE PATH TO BOTOS LAGOON leads to a lookout point that affords a view of the scenery in the photo. This former volcanic cone is 400 meters across and surrounded by thick cloud forest.

PARQUE NACIONAL
VOLCÁN TURRIALBA

En esta vista aérea se puede observar el sendero que conduce a la cima del volcán Turrialba, un estratovolcán que comparte la misma base que el Irazú y en la que aparece el cráter principal.

This aerial view shows the path that leads to the summit of Turrialba Volcano, a stratovolcano that shares the same base as Irazú, and the main crater.

ESTE PARQUE COMPRENDE EL EDIFICIO VOLCÁNICO y la parte superior de sus muy empinadas faldas. El Turrialba es un estratovolcán de 3.340 m de altitud, que comparte la misma base que el cercano volcán Irazú. En la parte superior se presenta un cono con algunas protuberancias, constituido por tres cráteres bien definidos y por otros muy erosionados; el cráter principal tiene unos 50 m de profundidad. En los flancos se observan varias coladas de lava, que parecen ser recientes. Una de ellas pasó cerca de la actual ciudad de Turrialba y llegó hasta el río Reventazón. La última erupción ocurrió en 1864-66; en la actualidad el volcán presenta actividad solfatárica, con desprendimiento de gases sulfurosos y vapor de agua.

TURRIALBA VOLCANO NATIONAL PARK

THIS PARK INCLUDES THE VOLCANIC EDIFICE AND THE UPPER PART of its very steep sides. Turrialba is a 3,340-meter-high stratovolcano, which shares the same base as nearby Irazú Volcano. On the upper part there is a cone with protuberances consisting of three well-defined craters and others that are very eroded; the main crater is about 50 m deep.

There are several apparently recent lava flows on the flanks. One of them passes near the latter-day city of Turrialba as far as the Reventazón River. The last eruption took place in 1864-66; at present there is solfataric activity in the volcano, with suphurous gases and steam being given off. Although the vegetation has been highly altered in the past

EN LOS ESCASOS BOSQUES NUBOSOS PRIMARIOS que aún se conservan en las laderas del volcán viven algunos mamíferos como el mono congo cuyos inconfundibles aullidos se escuchan desde lejos.

THE SCANTY PRIMARY CLOUD FOREST that remains on the slopes of the volcano is home to mammals such as the howler monkey whose unmistakable howls are audible from far away.

Las nubes permiten observar el cráter principal del volcán Turrialba que tiene unos 50 metros de profundidad. A la derecha, las rápidas aguas del río Destierro, que nace en las laderas de este estratovolcán.

A break in the cloud permits a glimpse of the main crater of Turrialba Volcano, which is about 50 meters deep. On the right, the fast-flowing water of the Destierro River, which rises on the slopes of this stratovolcano.

La vegetación ha sido muy alterada en el pasado para el establecimiento de repastos. Sin embargo, todavía existen algunos parches de la vegetación original –bosque nuboso–, repastos con árboles y bosquetes secundarios. Algunos de los árboles más comunes son el jaúl *(Alnus acuminata)*, la salvia *(Buddleja nitida)*, con hojas encanecidas en el envés, el tucuico *(Ardisia pleurobotrya)* y el arrayán blanco *(Weinmannia pinnata)*.

En las partes más altas se observan el arrayán venenoso *(Pernettya coriacea)*, cuyos frutos negros son venenosos, el bambú batamba *(Chusquea subtessellata)*, el arrayán *(Vaccinium consanguineum)*, el arracachillo *(Myrrhidendron donnell-smithii)*, que puede tener varios tallos de hasta 4,5 m de alto, y los helechos *Elaphoglossum latifolium*, *E. palmense* y *Polypodium moniliforme*. Algunas de las especies que se observan dentro del cráter son la sombrilla de pobre *(Gunnera insignis)*, la valeriana *(Valeriana longifolia)*, que crece en los playones y el *Gnaphalium lavandulaefo-*

lium –que forma colonias de color gris. La fauna es muy escasa; a lo sumo se observan algunos mamíferos pequeños y unas pocas aves, tales como el trepatroncos coronipunteado *(Lepidocolaptes affinis)*, de color café oliváceo, el colibrí verdemar *(Colibri thalassinus)*, de bello color verde brillante, y el colín cariclaro *(Dendrortyx leucophrys)*, de color café y con apariencia de gallina.

La vista desde la cima de este volcán es espectacular; es posible observar toda la zona atlántica, la ciudad de Turrialba, la cordillera de Talamanca y partes del Valle Central y hasta de la cordillera de Guanacaste. El camino de acceso que se inicia en La Pastora de Santa Cruz, aunque lastrado es muy empinado en la parte superior, por lo que requiere el uso de vehículos todoterreno. En Santa Cruz hay pulperías y en Turrialba existen hoteles, supermercados y gasolineras. Para más información, dirigirse al Telf.: (506) 559-1220 ó 5569507.

to create grazing land, there are still a few patches of original vegetation – cloud forest –, grazing land with trees and secondary woodland. Some of the most common trees are the alder *(Alnus acuminata)*, benth *(Buddleja nitida)* – with ageing leaves on the reverse side –, 'tucuico' *(Ardisia pleurobotrya)* and bastard briziletto *(Weinmannia pinnata)*. In the highest parts there is venenous 'arrayán' *(Pernettya coriacea)*, whose black fruits are poisonous, dwarf bamboo *(Chusquea subtessellata)*, 'arrayán' *(Vaccinium consaguineum)*, 'arracachillo' *(Myrrhidendron donnell-smithii)*, which may have several stalks growing up to 4.5 m high, and ferns *Elaphoglossum latifolium, E. palmense* and *Polypodium moniliforme*. Visible within the crater are poor man's umbrella *(Gunnera insignis)*, 'valeriana' *(Valeriana longifolia)*, which grows on the extensive beaches, and *Gnaphalium lavandulaefolium*, which forms grayish colonies.

The scarce wildlife consists at most of a few small mammals and some birds, such as the spotted-crowned woodcreeper *(Lepidocolaptes affinis)*, which is olive-green and coffee colored, the green violet-eared hummingbird *(Colibri thalassinus)*, a lovely bright green, and the buffy-crowned wood-partridge *(Dendrortyx leucophrys)*, which is coffee-colored and hen-like in appearance.

The spectacular view from the summit of this volcano takes in the entire Atlantic area, the city of Turrialba, the Cordillera de Talamanca and parts of the Valle Central as far as the Cordillera de Guanacaste. The access road that starts in La Pastora de Santa Cruz, although gritted, is very steep in the upper part and requires the use of four-wheeled drive vehicles. Santa Cruz has grocery stores and in Turrialba there are hotels, supermarkets and gas stations. For all information contact Tel.: (506) 559-1220 or 5569507.

Desde el volcán Irazú (izquierda) es ésta la vista que ofrece el cono del volcán Turrialba. Arriba, una bellísima mariposa que habita en las zonas más bajas de las empinadas faldas de este edificio volcánico.

Irazú Volcano (left) offers this view of the cone of Turrialba Volcano. Above, a beautiful butterfly that lives in the lower reaches of the steep slopes of this volcanic edifice.

95

ZONA PROTECTORA LA SELVA

LA Zona Protectora La Selva se localiza en las tierras bajas del noreste de la vertiente atlántica, en la confluencia de los ríos Sarapiquí y Puerto Viejo. Dentro de esta zona protectora existe una red de senderos que conducen a sitios de interés escénico, biológico y científico; uno de ellos se adentra en el Parque Nacional Braulio Carrillo, llega hasta el volcán Barva y cuenta con varios refugios en los que es posible pernoctar. La casi totalidad de esta zona protectora está constituida por la Estación Biológica La Selva. La administración de esta estación le corresponde a la Organización para Estudios Topicales (OTS), un consorcio de universidades de Estados Unidos y Costa Rica. La Selva está constituida por bosques primarios siempreverdes de gran diversidad florística, que reciben unos 4.000 mm de lluvia por año. La flora vascular está conformada por unas 2.000 especies, de las cuales más de 400 son árboles. La fauna es también de gran riqueza; se han observado más de 400 especies de aves, 116 de mamíferos, 123 de anfibios y reptiles, 43 de peces y 1.600 de insectos, entre ellos 479 son mariposas, muchas de ellas de una gran belleza.

REFUGIO NACIONAL DE VIDA SILVESTRE BOSQUE ALEGRE

ESTÁ CONSTITUIDO POR LAS lagunas Congo, Hule y Bosque Alegre, de gran belleza escénica, enmarcadas en una caldera volcánica colapsada que se encuentra en la ladera norte de la Cordillera Volcánica Central. En los bosques primarios y secundarios que cubren buena parte de este refugio viven monos congo (Alouatta palliata) y carablanca (Cebus capucinus). En la laguna Hule existen cinco especies de peces, incluyendo el guapote tigre (Cichlasoma dovii) y la mojarra (Cichlasoma lyonsi). Un camino de tierra que parte de la gasolinera de Cariblanco, carretera a Puerto Viejo, permite llegar hasta la laguna Hule.

ZONA PROTECTORA RÍO TORO

PROTEGE LA MAYOR PARTE de la cuenca alta y media del río Toro, de particular importancia debido a la existencia de los proyectos hidroeléctricos Toro I y Toro II, que utilizan las aguas de este río.

Las heliconias o platanillas (arriba) son plantas muy abundantes en las reservas forestales de esta área de conservación. A la izquierda, el bosque primario siempreverde de la Zona Protectora La Selva.

Heliconias (above) are found in large numbers in the forest reserves of this conservation area. On the left, the primary evergreen forest of La Selva Protection Zone.

LA SELVA PROTECTION ZONE

L A SELVA PROTECTION ZONE is located in the lowlands of the northeast of the Atlantic Basin, at the confluence of the rivers Sarapiquí and Puerto Viejo. Within this protection zone there exists a network of paths leading to sites of scenic, biological and scientific interest. One of them goes into Braulio Carrillo National Park as far as the Barva Volcano and has several refuges where it is possible to spend the night. Almost the whole of this protection zone is taken up by the La Selva Biological Station. The station is run by the Organization for Tropical Studies (OTS), a consortium of universities from the United States and Costa Rica. La Selva is made up of evergreen primary forests with a great diversity of plants which receives some 4,000 mm of rain per year. The vascular plants consist of 2,000 species of which 400 are trees. The animal life is also very rich. There are over 400 bird species, 116 mammals, 123 amphibians and reptiles, 43 recorded fish species, and 1,600 insects, including 479 butterflies.

BOSQUE ALEGRE NATIONAL WILDLIFE REFUGE

I T CONSISTS OF THE BEAUTIFUL Congo, Hule and Bosque Alegre lagoons framed in a subsided volcanic caldera located on the northern slope of the Central Volcanic Cordillera. In the primary and secondary forests covering a sizeable part of this refuge live

Los HELECHOS ARBORESCENTES (arriba) son muy característicos en los bosques de la Reserva Forestal Cordillera Volcánica Central. El pizote (derecha) es uno de los mamíferos más fáciles de ver en estas áreas protegidas.

T REE FERNS (above) are very characteristic in the forests of Cordillera Volcánica Central Forest Reserve. White-nosed coati (right) is one of the easiest mammals to spot in these protected areas.

howler monkeys *(Alouatta palliata)* and white-faced capuchins *(Cebus capucinus)*. In Hule Lagoon there are five species of fish, including cichlids *(Cichlasoma dovii* and *Cichlasoma lyonsi)*. A dirt road goes from the Cariblanco gasoline station along the main road to Puerto Viejo as far as Hule Lagoon.

RÍO TORO PROTECTION ZONE

I T PROTECTS MOST OF THE upper and middle basin of the River Toro, which is of particular importance due to the existence of Toro I and Toro II hydroelectric projects, which use the waters of this river. Most of this protection zone is covered in forest containing tree species such as sweet cedar *(Cedrela tonduzii)* and oak *(Quercus* spp.). The forest of this protected area can be seen from the road that leads to the hydroelectric projects.

El PEREZOSO DE TRES DEDOS es un mamífero que pasa la mayor parte de su vida colgado de las ramas de los árboles en las masas forestales.

THE THREE-TOED SLOTH SPENDS most of its life hanging from the branches of forest trees.

La mayor parte de esta zona protectora está cubierta de bosques, en los que se encuentran especies de árboles como el cedro dulce *(Cedrela tonduzii)* y el roble *(Quercus* spp.). La carretera lastrada que conduce hasta los proyectos hidroeléctricos permite observar el bosque de esta área protegida.

ZONA PROTECTORA EL CHAYOTE

CONSTITUYE UN ÁREA muy lluviosa, de gran importancia por encontrarse aquí las nacientes de los ríos San Carlos, Barranca, Toro Amarillo y Grande de Tárcoles. Sin embargo, conserva muy poco bosque, por lo que su restauración forestal es de gran urgencia. Algunos caminos de tierra que parten de Zarcero permiten adentrarse un poco en esta zona protectora.

RESERVA FORESTAL DE GRECIA

SE LOCALIZA AL SUROESTE del volcán Poás y tiene una gran importancia para la protección de las cuencas hidrográficas que suministran agua para usos agropecuarios y urbanos a una extensa zona del Valle Central Occidental. El bosque primario cubre un 75 % de toda el área con la presencia de robles *(Quercus* spp.). Dentro de esta reserva se localiza el Bosque de los Niños, de 40 ha, que consiste en una plantación de árboles que han sido sembrados por niños; esta área tiene gran importancia recreativa, es de una gran belleza escénica y accesible desde Grecia por carretera, en su mayor parte asfaltada.

RESERVA FORESTAL CORDILLERA VOLCÁNICA CENTRAL

LOS BOSQUES DE ESTA RESERVA son de extraordinaria importancia, no sólo por la protección que suministran al enorme

sistema de cuencas hidrográficas que aquí existe, sino también porque forma un corredor biológico que comunica los parques nacionales Braulio Carrillo, Volcán Irazú y Volcán Turrialba. Dos especies muy características de estos bosques son los helechos arborescentes *(Cyathea fulva)* y las sombrillas de pobre *(Gunnera insignis)*, con hojas de enorme tamaño. Algunos caminos de tierra que parten de Sacramento y Rancho Redondo permiten adentrarse un poco en la parte sur de esta reserva.

ZONA PROTECTORA RÍO GRANDE

PROTEGE REMANENTES de bosques de las zonas de vida bosque húmedo tropical transición a premontano, y bosque muy húmedo premontano. Estas florestas se encuentran sobre todo a lo largo de las orillas de varias quebradas, que son afluentes del río Grande; dos de estas quebradas forman cataratas de gran belleza escénica. El río Grande origina un profundo cañón al atravesar esta área. Algunos caminos de tierra que parten de las carreteras que la rodean y que enlazan con Atenas, Palmares y Naranjo permiten adentrarse un poco en esta zona protectora.

ZONA PROTECTORA CERROS DE LA CARPINTERA

EL BOSQUE QUE CUBRE el cerro de La Carpintera es uno de los últimos remanentes de las zonas de vida bosque húmedo premontano y bosque muy húmedo premontano del Valle Central, con especies típicas de estas zonas como el cedro dulce *(Cedrela tonduzii)* y el roble *(Quercus oocarpa)*. La fauna es en general muy escasa, aunque se han identificado más de 200 especies de aves. Desde la cima del cerro es posible apreciar una buena parte del Valle Central, por lo que su potencial

EL CHAYOTE PROTECTION ZONE

THIS IS AN AREA with high rainfall. It is important because it is here that the rivers San Carlos, Barranca, Toro Amarillo and Grande de Tárcoles rise. However, it has very little forest left, which is why, restoring the forest is a very urgent matter. Some dirt roads from Zarcero allow visitors to go deeper into this protection zone.

GRECIA FOREST RESERVE

LOCATED TO THE SOUTHWEST of Poás Volcano, it is very important for the protection of the drainage basins supplying water to agriculture and fisheries and for urban use over a broad area of the Central Western Valley. The primary forest covers 75 % of the whole area, with oaks *(Quercus* spp.). Within this reserve is the 40-hectare Bosque de los Niños consisting of a plantation of trees planted by children. It is very important as a recreational area, besides being very beautiful and accessible from Grecia along a mostly asphalted road.

CORDILLERA VOLCÁNICA CENTRAL FOREST RESERVE

THE FORESTS IN THIS RESERVE are extraordinarily important, not only for the protection they provide for the enormous system of drainage basins that exists here, but also because they form a biological corridor connecting Braulio Carrillo, Irazú Volcano and Turrialba Volcano national parks. Two very characteristic species in these forests are the tree-ferns *(Cyathea fulva)* and poor man's umbrella *(Gunnera insignis)*, with its enormous leaves. A few dirt roads leave from Sacramento and Rancho Redondo and go a little way into the southern part of the reserve.

RÍO GRANDE PROTECTION ZONE

IT PROTECTS REMNANTS of forests of the following life zones: tropical moist forest, premontane belt transition, and premontane wet forest. These forests are found, above all, along the banks of several streams that are tributaries of the River Grande. Two of these streams form very beautiful waterfalls. The River Grande forms a deep canyon as it passes through this area. A few dirt roads branching off from the highways surrounding it and linking up with Atenas, Palmares and Naranjo go a little more deeply into this protection zone.

CERROS DE LA CARPINTERA PROTECTION ZONE

THE FOREST COVERING Cerros de la Carpintera is one of the last remnants of premontane moist forest and premontane wet forest life zones in the Central Valley, with species typical of these parts, e. g. 'cedro dulce' *(Cedrela tonduzii)* and oak *(Quercus oocarpa)*. In general, animal life is very scarce although over 200 species of birds have been recorded in the area. From the top of the hill it is possible to make out a large part of the Central Valley and, for this reason, it has great recreational potential for the whole population of San José City and the surrounding area. There is a training center operating here, which belongs to the Association of Guides and Scouts of Costa Rica. Some paths starting from Coris, Tres

LOS BOSQUES PRIMARIOS SIEMPREVERDES en las reservas de la Cordillera Volcánica Central se caracterizan por su riqueza arbórea.

THE PRIMARY EVERGREEN FOREST growing in the reserves of the Cordillera Volcánica Central is rich in tree species.

La rana venenosa Dendrobates pumilio *(arriba)
y las tortugas de río son muy abundantes
en el humedal lacustrino Bonilla-Bonillita.*

The poisonous frog Dendrobates pumilio *(above)
and river turtles occur in large numbers
in the lacustrine wetland of Bonilla-Bonillita.*

recreativo para toda la población de la ciudad de San José y alrededores es muy alto. Aquí funciona un centro de capacitación de la Asociación de Guías y Scouts de Costa Rica. Algunos senderos que parten de Coris, Tres Ríos y Patarrá permiten recorrer una parte de esta zona protectora.

ZONA PROTECTORA RÍO TIRIBÍ

PROTEGE UNOS POCOS remanentes de bosques de una parte pequeña de la cuenca media de este río, pertenecientes a la zona de vida bosque muy húmedo montano bajo. Las aguas del Tiribí se aprovechan para consumo humano, riego y generación hidroeléctrica, aunque tras su paso por San José el río se contamina. Algunas vías de tierra que parten de Dulce Nombre de Tres Ríos permiten adentrarse un poco en esta zona protectora.

RESERVA FORESTAL RUBÉN TORRES ROJAS

TAMBIÉN CONOCIDA como el Bosque de Prusia, contiene una floresta constituida por una plantación forestal de coníferas y otras especies exóticas y nativas de interés dasonómico y por un bosque nativo, formado principalmente por robles (*Quercus* spp.) y jaúles (*Alnus acuminata*). Esta reserva protege la cuenca superior del río Reventado. Se llega por carretera asfaltada, desviándose de la ruta que conduce al Parque Nacional Volcán Irazú.

HUMEDAL LACUSTRINO BONILLA-BONILLITA

COMPRENDE LAS LAGUNAS Bonilla y Bonillita, de gran belleza escénica y de origen meándrico-tectónico. En estas lagunas son abundantes las tortugas de río (*Chrysemys ornata* y *Rhinoclemmys funerea*) y las ranas venenosas (*Dendrobates pumilio*), y en los bosques que las rodean son muy frecuentes los tucanes o pechigualdos (*Ramphastos swainsonii*), las oropéndolas (*Psarocolius montezuma* y *P. wagleri*) y las garcitas verdosas (*Butorides striatus*). Estas lagunas se localizan en las márgenes del río Reventazón, cerca del camino Lajas-Bonilla Abajo, desde el cual se puede acceder a ellas.

ZONA PROTECTORA CERRO ATENAS

PROTEGE ALGUNOS REMANENTES de vegetación de la zona de vida bosque húmedo premontano. El área es muy quebrada; los parches de bosque sólo se encuentran en las partes altas y en los bordes de las quebradas. Una vía lastrada, que parte de la carretera Atenas-Orotina, conduce hasta una torre instalada por el Instituto Costarricense de Electricidad en la cima del cerro.

Ríos and Patarrá make it possible to visit part of this protection zone.

RÍO TIRIBÍ PROTECTION ZONE

IT PROTECTS A FEW FOREST remnants of a small part of the middle course of this river. The forest is of the lower montane wet forest life zone. The waters of the Tiribí are used for drinking water, irrigation and generating hydroelectric power although, as it passes through San José, the river becomes polluted. Some dirt tracks from Dulce Nombre de Tres Ríos make it possible to go a little way into this protection zone.

RUBÉN TORRES ROJAS FOREST RESERVE

ALSO KNOWN AS BOSQUE DE PRUSIA, it contains forest consisting of conifer plantation and other exotic and native forest species and a native forest mainly of oaks (Quercus spp.) and alder (Alnus acuminata). This reserve protects the upper basin of the Reventado River. It can be reached along an asphalted road via a turn-off from the road to Irazú Volcano National Park.

BONILLA-BONILLITA LACUSTRINE WETLAND

IT INCLUDES THE VERY BEAUTIFUL Bonilla and Bonillita lagoons, which originated in tectonic meanders. In these lagoons there are lots of river turtles (Chrysemys ornata and Rhino-clemmys funerea) and poison dart frogs (Dendrobates pumilio). In the surrounding forests, chestnut-mandibled toucans (Ramphastos swainsonii), oropendolas (Psarocolius montezuma and P. wagleri), and green-backed herons (Butorides striatus) are very numerous. These lagoons are located on the edges of the Reven-

tazón River near the Lajas-Bonilla Abajo road and are accessible from that road.

CERRO ATENAS PROTECTION ZONE

IT PROTECTS SOME REMNANTS of vegetation of the premontane moist forest life zone. The area is very fragmented by streams and patches of forest only occur in the upper reaches and at the edges of the streams. A grit road from the Atenas-Orotina highway leads to a tower installed by the Costa Rican Electricity Authority on top of the hill.

EL MONO CONGO y la serpiente oropel son dos vertebrados que habitan en los bosques de las reservas de la Cordillera Volcánica Central.

THE HOWLER MONKEY and the black-spotted viper are two members of the vertebrate community that live in the forests of the Cordillera Volcánica Central's reserves.

LLANURAS DEL TORTUGUERO

LOS CANALES DE TORTUGUERO, junto
al mar Caribe (derecha) constituyen
una de las áreas silvestres con una
mayor diversidad biológica
de Costa Rica. Más de trescientas
especies de aves viven en este parque
nacional, entre ellas la garceta grande
(izquierda), también llamada garza real.
Abajo, una rana calzonuda
sobre una bromelia.

THE TORTUGUERO CHANNELS, alongside
the Caribbean Sea (right) are one
of the wildlife areas with the greatest
biological diversity in Costa Rica.
Over three hundred species of birds
live in this national park, including
the great white egret (left). Below,
a red-eyed tree frog on a bromeliad.

PARQUE NACIONAL TORTUGUERO Y REFUGIO NACIONAL DE FAUNA SILVESTRE BARRA DEL COLORADO

TORTUGUERO ES UNA DE LAS ZONAS más lluviosas del país, lo que garantiza la exuberante vegetación del parque nacional y la presencia continua de agua en áreas pantanosas, lagunas y canales.

TORTUGUERO IS ONE of the country's wettest parts. The rainfall ensures the continuance in the national park of both the lush vegetation and the water in the swamps, lagoons and channels.

Es EL ÁREA MÁS IMPORTANTE de toda la mitad occidental del Caribe para el desove de la tortuga verde *(Chelonia mydas).* Otras especies de tortugas marinas que también desovan en las extensas playas del parque y del refugio son la baula *(Dermochelys coriacea)* y la carey *(Eretmochelys imbricata).*

Geomorfológicamente el parque y el refugio están constituidos por una amplia llanura de inundación formada por una coalescencia de deltas, que con sus cauces divagantes rellenaron parte de la antigua fosa de Nicaragua. Esta amplia llanura sólo está interrumpida por algunos cerros y conos de poca altura, restos de un archipiélago de origen volcánico que contribuyó a anclar los sedimentos traídos por ríos desde los sistemas montañosos.

El parque y el refugio, incorporados a la Lista de Humedales de Importancia Internacional de Ramsar en 1996, son una de las zonas más lluviosas del país; registran entre 5.000 y 6.000 mm al año y se trata de una de las áreas silvestres de mayor diversidad biológica. Se han identificado hasta 11 hábitats. Los principales son la vegetación litoral, con la presencia de cocoteros *(Cocos nucifera);* bosques altos muy húmedos, bosques sobre lomas, bosques pantanosos, con árboles de hasta 40 m de altura; yolillales, formados casi exclusivamente por la palma yolillo *(Raphia taedigera);* pantanos herbáceos, constituidos por plantas herbáceas de hasta 2 m de altura, y comunidades herbáceas de vegetación flotante, en las que a veces la choreja *(Eichhornia crassipes)* es tan densa que impide la navegación. En general, algunos de los árboles más abundantes son el gavilán *(Pentaclethra macroloba),* el cedro macho o caobilla *(Carapa guianensis)* y el cativo *(Prioria copaifera).* Hasta ahora se han identificado 642 especies de plantas dentro del parque.

La fauna es rica y diversa. Entre los mamíferos resultan particularmente abundantes los monos; una de las especies más

Tortuguero National Park and Barra del Colorado National Wildlife Refuge

IT IS THE MOST IMPORTANT LAYING SITE in the whole western half of the Caribbean for the green turtle *(Chelonia mydas)*. Other species of sea turtles that also lay on the broad beaches in the park and the refuge are leatherbacks *(Dermochelys coriacea)* and hawksbills *(Eretmochelys imbricata)*.

Geomorphologically, the park and the refuge are made up of a wide floodplain formed where deltas merge which, with their meandering channels, filled up part of the former Nicaragua Trench. This extensive plain is broken only by a few hills and low cones, the remains of an archipelago of volcanic origin that helped anchor the sediments brought by rivers from the mountain systems.

The park and refuge were included on the Ramsar List of Wetlands of International Importance in 1996 and are one of the wettest areas in the country, with between 5,000 and 6,000 mm of rain falling every year. It is also one of the wild areas with greatest biological diversity. As many as 11 habitats have been recorded. The main ones are: coastal vegetation with coconut palms *(Cocos nucifera)*; very moist high forests; hill forests; swamp forest with trees up to 40 m high; forest almost exclusively made up of holillo palm trees *(Raphia taedigera)*; herbaceous swamps consisting of herbaceous plants up to 2 m high, and herbaceous plant communities of floating vegetation where water hyacinths *(Eichhornia crassipes)* are sometimes so dense it makes it impossible to use a boat. In general, some of the most abundant trees are the wild tamarind *(Pentaclethra macroloba)*, the crabwood *(Carapa guianensis)* and the cativo *(Prioria copaifera)*. Also 642 plant species have so far been identified in the park.

The fauna is rich and diverse. Among the mammals, monkeys are particularly abundant. One of the most interesting species is the fishing bulldog bat *(Noctilio leporinus)*, one of

La abundancia de ardeidos es muy notable en esta zona húmeda incorporada a la Lista de Humedales de Importancia Internacional de Ramsar en 1996. Abajo, una garceta tricolor.

There are strikingly large numbers of herons and egrets in this wetland area, which was added to Ramsar's List of Wetlands of International Importance in 1996. Below, a tricolored heron.

Los anfibios y reptiles también están muy bien representados en este parque nacional. A la izquierda, la vistosa rana calzonuda y, sobre estas líneas, un basilisco, también conocido como lagartija de Jesucristo.

Amphibians and reptiles are also very well represented in this national park. On the left, the eye-catching red-eyed tree frog and, above, a basilisk.

interesantes es el murciélago pescador *(Noctilio leporinus)* –uno de los más grandes del país–, que se alimenta principalmente de peces. De las aves se conocen 309 especies; entre ellas se encuentran el guacamayo ambiguo *(Ara ambigua)* –muy amenazado de extinción– y el tucán piquiverde *(Ramphastos sulfuratus)*. Se han observado 60 especies de anuros, incluyendo la rana transparente *(Centrolenella valerioi)* y la rana venenosa *(Dendrobates pumilio)*. En el mar, frente a ambas áreas protegidas existen poblaciones importantes de macarelas *(Scomberomorus maculatus)*, róbalos *(Centropomus undecimalis)* y jureles *(Chloroscombrus chrysurus)*, de camarones *(Penaeus brasiliensis)* y se ha observado el inmenso tiburón ballena *(Rhincodon typus)*.

El sistema natural de canales y lagunas navegables de gran belleza escénica que cruza el parque de sureste al noroeste es el hábitat de 7 especies de tortugas terrestres. Allí viven también el amenazado manatí o vaca marina *(Trichechus manatus)* y el escaso cocodrilo *(Crocodylus acutus)*. Entre los numerosos peces que existen aquí se encuentran el róbalo *(Centropomus undecimalis)*, el gaspar *(Atractosteus tropicus)* –un fósil viviente cuyo desove es un espectáculo extraordinario– y el camarón de agua dulce *(Macrobrachium* sp.).

Estas dos áreas protegidas se localizan en las llanuras del Tortuguero y limitan con la frontera con Nicaragua.

EN LAS DIVISORIAS DE LOS CANALES DE TORTUGUERO se han instalado algunas señalizaciones que indican el camino a seguir por los visitantes que se desplazan en barca por esta "Venecia del Caribe".

IN THE WATERSHEDS OF THE Tortuguero Channels, signposts have been placed indicating the route for visitors moving around by boat through this 'Venice of the Caribbean'.

the biggest in the country, which feeds mainly on fish. There are 309 known bird species, including the great green macaw *(Ara ambigua)*, which is highly threatened with extinction and the keel-billed toucan *(Ramphastos sulfuratus)*. 60 species of frogs and toads, including the glass frog *(Centrolenella valerioi)* and the poison dart frog *(Dendrobates pumilio)*. In the sea, off both protected areas, there are important populations of mackerel *(Scomberomorus maculatus)*, common snook *(Centropomus undecimalis)*, Atlantic bumper *(Chloroscombrus chrysurus)* and shrimps *(Penaeus brasiliensis)*, and the immense whale shark *(Rhincodon typus)* has been recorded.

The natural network of beautiful channels and navigable lagoons that crosses the park from southeast to northwest are the habitat of 7 species of turtles. It is also the home of the threatened West Indian manatee or seacow *(Trichechus manatus)* and the rare crododile *(Crocodylus acutus)*. Among the many fish found there are the Caribbean snook *(Centropomus undecimalis)*, the gar *(Atractosteus tropicus)*, a living fossil whose laying habits offer an extraordinary spectacle, and the freshwater shrimp *(Macrobrachium sp.)*.

These two protected areas are situated on the Tortuguero Plains and are on the border with Nicaragua. The offices are at the northern end of the park near the town of Tortuguero, 84 km from Limón via the Tortuguero channels. It is accessible

La mayoría de los canales de Tortuguero son navegables, aunque a veces la vegetación flotante de planta choreja, que se multiplica vertiginosamente, es tan densa que impide la navegación.

Most of the Tortuguero channels are navigable although sometimes the floating vegetation of water hyacinth, which spreads at an incredible rate, is so thick that it makes them unnavigable.

Los canales de Tortuguero poseen una singular belleza escénica. Entre ellos se desarrollan los bosques pantanosos, los yolillales y los pantanos herbáceos que caracterizan este extenso humedal. A la derecha, una tortuga verde.

The Tortuguero channels boast uniquely lovely scenery, which includes swamp forest, yolillales and herbaceous swamp land, features of this extensive wetland. Right, a green turtle.

EN LA PLAYA DE TORTUGUERO (arriba) desovan numerosas tortugas marinas. A la derecha, un grupo de charranes sobre un tronco en uno de los canales del parque, y una garceta azul en una de las áreas pantanosas.

ON TORTUGUERO BEACH (above) many marine turtles haul out to lay their eggs. On the right, a group of terns on a tree trunk in one of the park's channels, and a little blue heron in one of the swampy areas.

La administración se ubica en el extremo norte del parque, en las vecindades del pueblo de Tortuguero, a 84 km de Limón vía canales de Tortuguero. Es accesible por avioneta desde San José o Limón, por los canales de Tortuguero desde Moín o por tierra desde Guápiles hasta Puerto Lindo con vehículo todoterreno, y luego por bote hasta Tortuguero (125 km). En la sección Cuatro Esquinas existen los senderos El Ceiba y El Gavilán (que llega a la costa) y en la sección Jalova, El Tucán, los senderos Milla 19 (por la costa) y Caño Negro.

Existe un servicio de lanchas para carga entre Moín y Tortuguero, que puede contratarse para hacer el viaje, y un servicio de autobuses San José-Guápiles. En Moín es también posible alquilar botes para hacer el recorrido hasta Tortuguero. En Guápiles se pueden contratar taxis hasta Puerto Lindo. En Tortuguero y Barra del Colorado existen hoteles, pensiones, restaurantes y pulperías. Para más información puede dirigirse a los Telf./fax: (506) 710-2929; (506) 710-2939, o (506) 710-2989; e-mail: acto@minae.go.cr

by light aircraft from San José or Limón, via the Tortuguero channels from Moín, or by land from Guápiles as far as Puerto Lindo with a four-wheel drive vehicle and then by boat to Tortuguero (125 km). In the Cuatro Esquinas sector there are the following paths: El Ceiba and El Gavilán (to the coast). In the Jalova sector there are the El Tucán and Mile 19 paths (along the coast) and Caño Negro path.

Launches for cargo are available for hire between Moín and Tortuguero and a bus service operates between San José and Guápiles. In Moín it is also possible to hire boats to make the trip to Tortuguero. In Guápiles taxis can be hired to Puerto Lindo. In Tortuguero and Barra del Colorado there are hotels, guest houses, restaurants and food shops. For more information, contact Tel./fax: (506) 710-2929; (506) 710-2939, or (506) 710-2989; e-mail: acto@minae.go.cr

ARRIBA, UNA VISTA GENERAL del Refugio Nacional de Vida Silvestre Barra del Colorado que forma una unidad con el Parque Nacional Tortuguero. A la Izquierda, cormoranes y charranes en uno de los canales.

ABOVE, A GENERAL VIEW of Barra del Colorado National Wildlife Refuge, which forms a unit with Tortuguero National Park. On the left, cormorants and terns in one of the channels.

113

ZONA PROTECTORA TORTUGUERO

ESTÁ CONFORMADA EN SU MAYOR PARTE por yolillales, asociaciones sobre suelos inundados en las cuales la palma yolillo *(Raphia taedigera)* es dominante, y por bosques húmedos muy lluviosos en los que predominan especies como el cedro macho *(Carapa guianensis)* y el fruta dorada *(Virola koschnyi)*. Forma parte, junto con las otras áreas protegidas de la zona, del Proyecto SI-A-PAZ Costa Rica-Nicaragua, que es uno de los eslabones más importantes del Corredor Biológico Mesoamericano. Se puede recorrer siguiendo los ríos que desembocan en los canales de Tortuguero.

ZONAS PROTECTORAS
ACUÍFEROS DE GUÁCIMO Y POCOCÍ

SE CREARON CON LA FINALIDAD de proteger las áreas de recarga de los acuíferos que abastecen los acueductos de los cantones de Guácimo y Pococí. Los terrenos de ambos acuíferos son accidentados; el suelo, de origen volcánico, es muy rocoso y sobre éste crece un bosque en su mayoría primario, muy húmedo y de mediana altura. Algunos caminos de tierra que parten desde ambas poblaciones permiten adentrarse un poco en ambos acuíferos.

REFUGIO NACIONAL DE VIDA SILVESTRE
ARCHIE CARR

ES TAMBIÉN UN SITIO DE IMPORTANCIA para el desove de las tres especies de tortugas marinas que nidifican en el Parque Nacional Tortuguero. En este corredor biológico se encuentra la estación de la Caribbean Conservation Corporation (CCC), organización científico-conservacionista creada por el Dr. Archie Carr en 1955. Esta estación cuenta con laboratorio, sala de reuniones, lavabos y dormitorios. El acceso a este corredor y a la estación se hace por vía fluvial, siguiendo los canales de Tortuguero o por avioneta desde San José o Limón. Para obtener información sobre las actividades de la CCC se debe llamar al Telf.: (506) 297-5510.

LA JACANA CENTROAMERICANA (arriba) es un ave común sobre la vegetación acuática de la Zona Protectora Tortuguero. A la derecha, un bando de garcetas grandes o garzas reales.

NORTHERN JACANA (above) is a common species on the aquatic vegetation of Tortuguero Protection Area. On the right, a flock of great white herons.

TORTUGUERO PROTECTION ZONE

THIS MOSTLY CONSISTS of stands of vegetation on flooded soils in which the holillo palm *(Raphia taedigera)* is predominant. Also present are very moist forests where species like crabwood *(Carapa guianensis)* and banak *(Virola koschnyi)* predominate. Together with the other protected area in the zone, it is part of the Costa Rica-Nicaragua SI-A-PAZ Project, which is one of most important in the Mesoamerican Biological Corridor. It can be crossed by following the rivers that discharge into the Tortuguero Channels.

GUÁCIMO AND POCOCÍ AQUIFERS PROTECTION ZONE

THEY WERE CREATED WITH THE AIM of protecting the recharge areas of the aquifers that supply the aqueducts of Guácimo and Pococí counties. The land in both aquifers is rugged; the soil, which is of volcanic origin, is very rocky and supports

a mainly primary, very moist and middle altitude forest. A few dirt tracks start from both towns allowing visitors to go a little way into both aquifers.

ARCHIE CARR NATIONAL WILDLIFE REFUGE

IT IS ALSO AN IMPORTANT LAYING SITE for the three sea turtle species that nest in Tortuguero National Park. The Caribbean Conservation Corporation (CCC), a scientific conservation organization set up by Dr. Archie Carr in 1955, is located in this biological corridor. This station has a laboratory, meeting room, toilets and bedrooms. Access to this corridor and to the station is by river along the Tortuguero Channels or by light plane from San José or Limón. For more information on CCC activities call Tel.: (506) 297-5510.

LA ANHINGA AMERICANA (arriba) es un ave siempre presente en los extensos humedales del Caribe norte costarricense. A la izquierda, la choreja, planta invasora característica de estas zonas húmedas.

THE ANHINGA (above) is ever present in the extensive wetlands of the northern Caribbean part of Costa Rica. On the left, the water hyacinth, an invasive plant typical of these wetlands.

Panorámica de la costa caribeña del Refugio
Nacional de Vida Silvestre Gandoca–Manzanillo,
lindando con Panamá, y los densos bosques
primarios muy húmedos que tapizan la
complicada topografía del Parque Nacional
Tapantí–Cerro de la Muerte.

Amistad-Caribe y Amistad-Pacífico

PANORAMIC VIEW OF THE Caribbean coast
of Gandoca–Manzanillo National Wildlife
Refuge bordering Panama, and the thick
primary very moist forests that cover
the rugged terrain of Tapantí–Cerro
de la Muerte National Park.

117

Reserva de la Biosfera La Amistad

Son abundantes las cascadas (abajo) que salpican la geografía del Parque Nacional Hitoy-Cerere. A la derecha, las grandes hojas de la sombrilla de pobre en el Parque Nacional Tapantí.

There is a large number of waterfalls (below) dotted around Hitoy-Cerere National Park. On the right, the large leaves of poorman's umbrella in Tapantí National Park.

Esta gran área protegida se encuentra conformada por el Parque Nacional Tapantí-Macizo de la Muerte, el Parque Nacional Chirripó, el Parque Nacional Barbilla, la Reserva Biológica Hitoy-Cerere y el Parque Internacional La Amistad, más algunas reservas forestales e indígenas. Comprende la región de mayor diversidad biológica del país y constituye el bosque natural más grande de Costa Rica. Fue declarada por la UNESCO como Reserva de la Biosfera en 1982 y Sitio del Patrimonio Mundial en 1983. Toda el área protegida abarca gran parte de la cordillera de Talamanca, el sistema montañoso más extenso

La Amistad
Biosphere Reserve

THIS GREAT PROTECTED AREA, consisting of Tapantí-Macizo de la Muerte National Park, Chirripó National Park, Barbilla National Park, Hitoy-Cerere Biological Reserve and La Amistad International Park, as well as some forest and native reserves, is the region with the greatest biological diversity in the country, and constitutes the largest natural forest in Costa Rica. It was declared a Biosphere Reserve by UNESCO in 1982 and a World Heritage Site in 1983. The whole area covers a large part of the Talamanca Cordillera, the most extensive mountain system in Central America. One of the most striking geomorphological

El Parque Nacional Tapantí es una de las áreas más lluviosas de Costa Rica, con precipitaciones que superan los 7.000 mm anuales. Abajo, uno de los tributarios del río Grande de Orosí.

Tapantí National Park is one of the wettest parts of Costa Rica, with annual rainfall of over 7,000 mm. Below, one of the tributaries of the River Grande de Orosí.

LAS SELVAS DE LA RESERVA DE BIOSFERA LA AMISTAD forman el bosque más grande de Costa Rica. A la derecha, la densidad del bosque muy húmedo tropical del Parque Nacional Hitoy-Cerere. Sobre estas líneas, una vistosa rana del género Agalychnis.

THE JUNGLES OF LA AMISTAD BIOSPHERE RESERVE make up the largest forest in Costa Rica. On the right, the dense tropical very moist forest of Hitoy-Cerere National Park. Above, an eye-catching frog of the genus Agalychnis.

El *Parque Internacional La Amistad (arriba) comparte su superficie con el parque nacional panameño del mismo nombre. Ambos parques están incluidos en la Lista del Patrimonio Mundial de la UNESCO.*

La Amistad International Park (above) shares its surface area with the Panamanian national park of the same name. Both parks are included on UNESCO's World Heritage List.

de América Central. Uno de los rasgos geomorfógicos más llamativos del cerro Chirripó –la cumbre más prominente de Costa Rica, con 3.819 m– son las huellas de un glaciarismo que data de hace unos 35.000 años y del que son testigos los valles en U, las morrenas terminales y los circos glaciares, producidos por masas de hielo en movimiento.

Dentro de esta reserva se encuentra un número extraordinario de hábitats, producto de la diversidad de pisos altitudinales, suelos y climas, así como de la topografía y la vertiente, entre otros factores más locales. Los páramos que se extienden a partir de los 2.900 m tienen una gran afinidad con los páramos andinos; consisten en un bosque achaparrado en el que una de las plantas más comunes es la batamba *(Chusquea subtessellata)*, una especie de bambú. Las ciénagas se encuentran restringidas a pequeñas áreas a gran altura, formadas por co-

munidades herbáceas y arbustivas sobre suelos ácidos. Los madroñales están constituidos por el madroño enano *(Comarostaphylis arbutoides)* como especie principal y ocupan extensas áreas en las partes altas. Dominando los robledales se localizan enormes árboles de roble negro *(Quercus costaricensis)*. Los helechales están compuestos principalmente por el helecho *Lomaria* spp., de 1-2 m de altura y por el musgo *(Sphagnum* spp.) que forman asociaciones muy densas.

Los bosques mixtos o bosques nubosos, altos y muy húmedos, cubren la mayor parte de esta extensa área protegida y contienen una alta complejidad florística. Algunos de los árboles más grandes –los gigantes del bosque–, que alcanzan de 40 a 60 m de altura y pueden vivir hasta 1.500 años son, además del roble negro, el roble blanco *(Quercus copeyensis)*, el pinillo *(Prumnopitys standleyi)*, el cipresillo *(Podocarpus macrostachyus)*, la magnolia *(Magnolia sororum)* y el arrayán mora *(Weinmannia wercklei)*. En las áreas abiertas, taludes y orillas de los ríos crecen con abundancia las dos especies de sombrilla de pobre *(Gunnera insignis* y *G talamancana)*. Los bosques húmedos siempreverdes, particularmente en Hitoy-Cerere, son densos, comprenden varios estratos y poseen una gran riqueza de especies; entre los árboles más conspicuos se encuentran el ceiba *(Ceiba pentandra)* –que alcanza los 50 m de altura–, el manú negro *(Minquartia guianensis)* y el fruta dorada *(Virola koschnyi)*. La cordillera de Talamanca es una de las áreas con mayor grado de endemismo florístico del país; un ejemplo lo constituye la *Puya dasylirioides*, cuyo género es de origen andino.

La fauna es extraordinariamente diversa. Aquí se encuentran las 6 especies de felinos presentes en Costa Rica, junto a la población de dantas *(Tapirus bairdii)* más importante del país. Se han observado 263 especies de anfibios y reptiles, como la salamandra montañera *(Bolitoglossa subpalmata)*, y alrededor

features of the Chirripó hill –the most prominent peak in Costa Rica at 3,819 m– is the evidence of glaciation, dating from 35,000 years ago, in the form of the U-shaped valleys, terminal morraines and glacial cirques, which are the result of moving ice masses.

Within this reserve there is an extraordinary number of habitats resulting from the diversity of altitudinal storeys, soils and climates as well as topography and orientation, amongst other more local factors. The upland plains that extend above 2,900 m are very similar to upland areas in the Andes, consisting of stunted forest in which one of the most common plants is a species of bamboo called batamba *(Chusquea subtessellata)*. The swampland is limited to small areas at great altitude and there communities of herbaceous plants and bushes grow on acid soils. The main species of the stands of madroño is the dwarf madroño *(Comarostaphylis arbutoides)*, occupying extensive areas of the upper parts. The oak forest mainly comprises enormous oaks *(Quercus costaricencis)*. The stands of ferns mainly consist of 1-2 m-high *Lomaria* spp., and of moss *(Sphagnum* spp.), which form very dense mixed associations.

Mixed forests or high and very moist cloud forests cover most of this extensive protected area and contain very complex plant life. Some of the biggest trees – the forest giants – reach 40 to 60 m high and can live 1,500 years. Besides black oak they include white oak *(Quercus copeyensis)*, the small pine *Prumnopitys standleyi*, white cypress *(Podocarpus macrostachyus)*, magnolia *(Magnolia sororum)* and 'arrayán' *(Weinmannia wercklei)*. In the open areas, edges and river banks the two species of poorman's umbrella *(Gunnera insignis* and *G. talamancana)* grow in abundance. The dense evergreen moist forests, especially in Hitoy-Cerere, are made up of several strata and are very rich in species. Among the most conspicuous

trees are silk cotton tree *(Ceiba pentandra)*, which grows up to 50 m high, black manwood *(Minquartia guianensis)* and banak *(Virola koschnyi)*. The Talamanca Cordillera has one of the highest degrees of endemic plant species in the country. One example of this is the *Puya dasylirioides*, whose genus is of Andean origin.

The fauna is extraordinarily diverse. The six cat species of Costa Rica are found here, as well as the biggest population of Baird's tapir *(Tapirus bairdii)* in the country. Around 263 species of amphibia and reptiles have been recorded, such as the salamander *Bolitoglossa subpalmata*, and around 400 birds, including the quetzal *(Pharomachrus mocinno)*; Talamanca was recently discovered to be an extremely important biological corridor for the continental migration of hawks and vultures, with almost 3 million being recorded in 2001.

La riqueza faunística de esta extensa área protegida es enorme, calculándose que alberga más del 60 % de todos los vertebrados que viven en Costa Rica. Arriba, un ejemplar de saíno, especie muy común en los bosques.

There is an enormous wealth of wildlife in this vast protected area. Estimates indicate that it hosts over 60 % of all the vertebrates found in Costa Rica. Above, a collared peccary, a very common species in the forest.

de 400 de aves, entre ellas el quetzal *(Pharomachrus mocinno)*. Recientemente se descubrió que Talamanca constituye un corredor biológico de máxima importancia para la migración continental de gavilanes y zopilotes, llegándose a contar en el 2001 la extraordinaria cifra de casi 3 millones de estas aves. Se estima que este megaparque incluye más del 60 % de todos los vertebrados e invertebrados de Costa Rica.

El clima de la región depende de la altitud y la vertiente, aunque en general es muy húmedo; llueve al menos 3.200 mm al año y se estima que en algunos lugares, como Tapantí, la precipitación alcanza los 8.000 mm. Las partes más altas están sometidas a heladas frecuentes –sobre todo de noviembre a marzo– y a cambios bruscos de temperatura –hasta de 24° C entre el día y la noche.

La administración del Parque Internacional La Amistad se localiza en la población de Altamira; se llega vía San José-Buenos Aires-Colorado-Altamira-administración (270 km), por camino en parte pavimentado y en parte lastrado. Hay senderos que parten de Altamira, Tres Colinas, Pittier, Potrero Grande y Colorado, y llegan a sitios de interés biológico, geológico o escénico –uno de ellos lleva el sugestivo nombre de Los Gigantes del Bosque–; algunos cruzan toda la cordillera. En Altamira hay áreas para acampar con mesas, lavabos y agua potable. Existen servicios de autobuses San José-San Vito, que se detienen en Guácimo, y Guácimo-Altamira. Para cualquier información dirigirse a la

Las seis especies de felinos que viven en el país poseen importantes poblaciones en esta reserva de biosfera. A la izquierda, un ejemplar de tigrillo.

There are large populations of Costa Rica's six cat species in this biosphere reserve. On the left, a margay.

The region's climate depends on altitude and orientation although, in general, it is very moist with at least 3,200 mm of annual rainfall and, in some places, such as Tapantí, estimated precipitation of as much as 8,000 mm. The highest parts experience frequent frosts, specially from November to March, and sudden changes in temperature by as much as 24° C between daytime and nightime.

The La Amistad International Park administration is located in the town of Altamira. Access is via San José-Buenos Aires-Colorado-Altamira (270 km), over partly asphalted and partly grit roads. There are paths from Altamira, Tres Colinas, Pittier, Potrero Grande and Colorado, and they go to sites of biological, geological and scenic interest – one of them has the suggestive name of 'the giants of the forest'– and some go right across the mountain range. In Altamira there are camping sites with tables, toilets and drinking water. Bus services operate between San José and San Vito, stopping in Guácimo and Guácimo Altamira. For all information, contact the international park administration on Tel.: (506) 771-4836, 771-5116; fax: (506) 771-3297; e-mail: acla-p@minae.go.cr

The Chirripó Park offices are near San Gerardo de Rivas 18 km along a grit track from San Isidro de El General. There are two paths that go to the top of the hill: the San Gerardo-Crestones and the Herradura-Crestones (called El Cementerio de la Máquina). In Crestones, there is a 60-person refuge, where visitors can spend the night. In San Gerardo, guides can be hired and it is possible to hire horses. Before visiting the park, visitors need to make prior reservations and coordinate their visit with the office. There are bus services between San José and San Isidro and San Isidro and San Gerardo, and there are hotels, restaurants and markets in San Isidro, and guest houses and grocery stores in San Gerardo, Canaán and Herradura. For

all information, contact the park administration on Tel.: (506) 771-4836; fax (506) 771-3297; e-mail: acla-p@minae.go.cr. Alternatively, contact the Base Crestones on Tel.: (506) 770-8040 (8 to 12 a.m.).

The Hitoy-Cerere offices are located on the edge of the reserve. Access is from Limón via Penshurt-Valle de La Estrella (67 km) on a partly asphalted and partly grit road. Permission needs to be obtained from the offices before visiting the reserve.

LA LAGUNA DE SAN JUAN, en el Parque Nacional Chirripó, es una de las muchas manifestaciones glaciares que se conservan en el área protegida.

SAN JUAN LAGOON in Chirripó National Park is one of the many glacial features preserved in the protected area.

administración del Parque Internacional. Telf.: (506) 771-4836, 771-5116; fax: (506) 771-3297; e-mail: acla-p@minae.go.cr

La administración del Parque Chirripó se encuentra cerca de San Gerardo de Rivas, a 18 km por camino lastrado desde San Isidro de El General. Existen dos senderos que llegan hasta la cima del cerro, el San Gerardo-Crestones y el Herradura-Crestones (denominado El Cementerio de la Máquina); en Crestones hay un albergue con capacidad para 60 personas donde se puede pernoctar. En San Gerardo se pueden contratar guías y es posible alquilar caballos. Antes de visitar el parque se debe reservar con anticipación y coordinar con la administración. Existen servicios de autobuses San José-San Isidro y San Isidro-San Gerardo, y hay hoteles, restaurantes y mercados en San Isidro y pensiones y pulperías en San Gerardo, Canaán y Herradura. Para todo tipo de información dirigirse a la administración del parque. Telf.: (506) 771-4836; fax (506) 771-3297; e-mail: acla-p@minae.go.cr. O puede dirigirse a la Base Crestones. Telf.: (506) 770-8040 (de 8 a 12 a.m.).

La administración de Hitoy-Cerere se localiza al borde de esta reserva; se llega desde Limón vía Penshurt-Valle de la Estrella-reserva (67 km), por camino en parte pavimentado y en parte lastrado. Es necesario solicitar autorización a la administración antes de visitar esta reserva. Los senderos Tepezcuintle y Espavel conducen al bosque primario. Existen servicios de autobuses San José-Limón y Limón-Valle de la Estrella. En este último lugar donde existen pensiones y pulperías se pueden alquilar taxis. Para cualquier tipo de información dirigirse a la administración de la reserva. Telf./fax: (506) 795-1446.

La administración de Tapantí-Macizo de la Muerte se encuentra cerca de la entrada a este parque; se llega desde Cartago vía Orosí-Purisil-administración (27 km), por camino en parte pavimentado y en parte lastrado. Un camino de lastre, que usa el Instituto Costarricense de Electricidad para dar mantenimiento a las obras hidroeléctricas que aquí existen, permite recorrer con comodidad gran parte de este parque. Existe un servicio de autobuses Cartago-Río Macho, población localizada a 9 km de la administración. En los alrededores de Orosí hay hoteles y restaurantes y en Río Macho existen pulperías. La sección Macizo de la Muerte de este parque es atravesada por la carretera Interamericana Sur. Para cualquier tipo de información dirigirse a la administración del parque. Telf./fax: (506) 551-2970; e-mail: guarco@minae.go.cr.

La administración del Parque Nacional Barbilla se encuentra en el caserío Las Brisas de Pacuarito. Se llega por la carretera de Limón a Siquirres; tres kilómetros antes de esta última población se encuentra la entrada principal. Por una carretera de lastre de 17 km se llega a la administración, donde hay agua potable y servicios sanitarios y de la que salen una serie de senderos. Para cualquier información dirigirse a la Oficina Subregional Siquirres. Telf.: (506) 768-5341, 768-7643; fax: (506) 768-8603, (506) 396-7611; e-mail: aclac@minae.go.cr

A LA DERECHA, LAS DENSAS MASAS FORESTALES de bosque primario muy húmedo que cubren el Parque Nacional Tapantí-Cerro de la Muerte. Arriba, cristales de hielo formados en las partes más altas del Chirripó.

On THE RIGHT, thick tracts of very moist primary forest covering Tapantí-Cerro de la Muerte National Park. Above, ice crystals on the upper reaches of Chirripó.

The Tepezcuintle and Espavel paths lead into primary forest. There are bus services between San José and Limón and Limón-Valle de la Estrella. In the latter town you can hire taxis and there are boarding houses and grocery stores. For information, contact the reserve administration on Tel./fax: (506) 795 1446.

The Tapantí-Macizo de la Muerte offices are near the park entrance with access from Cartago via Orosí-Purisil (27 km) along a partly asphalted and partly grit road. A grit road used by the Costa Rican Electricity Authority to maintain hydroelectric operations there makes it possible to cover most of the park comfortably. Bus services operate between Cartago and Río Macho, a town 9 km from the offices. In the area around Orosí, there are hotels and restaurants, and in Río Macho there are food stores. The Interamericana Sur highway crosses the Macizo de la Muerte section of the park.

For information, please contact the park administration on Tel./fax: (506) 551-2970; or e-mail: guarco@minae.go.cr. The administration of Barbilla National Park is housed in the Las Brisas de Pacuarito farmhouse. Access is along the Limon to Siquirres highway, the main entrance being located three kilometers before Siquirres town. There is a 17-km dirt road to the administration building, where drinking water and toilets are available. A series of paths starts from there.

For any information, contact the Oficina Subregional Siquirres on Tel.: (506) 768-5341, 768-7643; fax: (506) 768-8603, (506) 396-7611, e-mail: aclac@minae.go.cr

SOBRE ESTAS LÍNEAS, la variada vegetación de los bosques muy húmedos de esta reserva de biosfera y, abajo, el lugar conocido como Los Crestones, en el Parque Nacional Chirripó.

ABOVE, THE VARIED VEGETATION of the very moist forests of this biosphere reserve and, below, the place known as Los Crestones in Chirripó National Park.

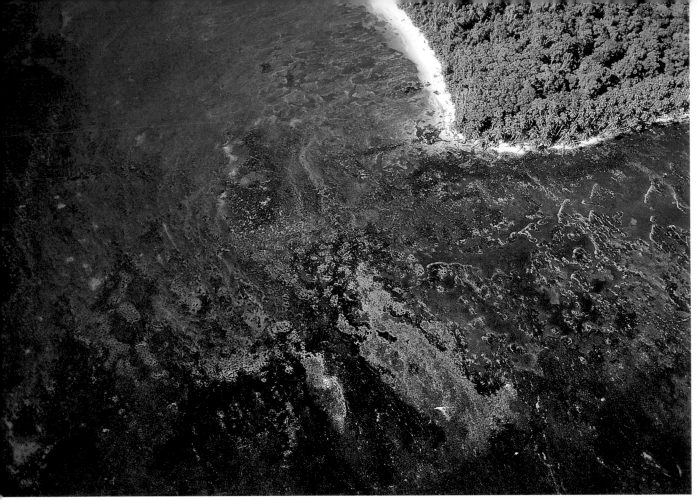

PARQUE NACIONAL CAHUITA

CAHUITA (DE "KAWE": ÁRBOL SANGREGAO Y "TA": PUNTA) es una de las áreas más bellas del país. El principal atractivo lo constituyen sus playas de arena blancuzca, sus miles de cocoteros, su tranquilo mar de color claro y su arrecife de coral. Este arrecife, que se asienta sobre una gran plataforma, se extiende en forma de abanico frente a Punta Cahuita, entre el río Perezoso y Puerto Vargas y es el único bien desarrollado en la costa caribeña de Costa Rica. Es de tipo marginal, presenta una cresta externa y una especie de laguna interna, y está formado por el ripio de coral viejo, arena al descubierto, parches de coral vivo y praderas submarinas de pasto de tortuga *(Thalassia testudinum)*. En la Playa Negra, al sur de Puerto Vargas, nidifican las cuatro especies de tortugas marinas que desovan en el Caribe

ARRIBA, VISTA AÉREA del arrecife de coral del Parque Nacional Cahuita y de su litoral costero. A la derecha, un coral del género Agaricia y un pez ángel reina.

ABOVE, AERIAL VIEW of the coral reef in Cahuita National Park and its coastline. On the right, coral of the genus Agaricia and a queen angel fish.

CAHUITA NATIONAL PARK

CAHUITA, FROM 'KAWE', THE MANG TREE, AND 'TA' MEANING 'POINT' is one of the most beautiful places in the country. The main attraction is its white sand beaches, miles of coconut trees, calm clear sea and coral reef. This coral reef, which is on a large platform, extends in a fan shape off Cahuita Point between the River Perezoso and Puerto Vargas, and is the only well developed one on Costa Rica's Caribbean coastline. It is of the marginal type with an outer crest and a kind of internal lagoon, and is made up of the residue of old coral, exposed sand, patches of living coral and underwater meadows of turtle grass *(Thalassia testudinum)*. Playa Negra, south of Puerto Vargas, is a laying site for the four species of marine turtles that nest in the Caribbean part of Costa Rica: Atlantic leatherback *(Dermochelys coriacea)*,

SOBRE ESTAS LÍNEAS, la belleza de los fondos arrecifales y, a la izquierda, una vista aérea de las interminables playas del parque nacional.

ABOVE, THE BEAUTY of the coral shallows and, on the left, an aerial view of the endless stretches of beach in the national park.

costarricense: la baula *(Dermochelys coriacea)*, la verde *(Chelonia mydas)*, la cabezona *(Caretta caretta)* y la carey *(Eretmochelys imbricata)*. De esta última especie, en el 2002 se censaron 105 nidos, lo que indica que este parque es el área de desove más importante en todo el Caribe para esta especie tan amenazada de extinción.

Los corales más abundantes del arrecife son los cuernos de alce *(Acropora palmata)* y los cerebriformes *(Diploria strigosa* y *Colcophyllia natans)*. También son muy abundantes los erizos y los abanicos de mar *(Gorgonia flabellum)*. Hasta ahora se han identificado en el arrecife 35 especies de corales, 140 de moluscos, 44 de crustáceos, 128 de algas, 3 de fanerógamas halófitas y 123 de peces. Algunos de estos últimos, como el pez ángel reina *(Holacanthus ciliaris)* y el isabelita *(Holacanthus tricolor)* tienen un colorido espectacular. Una especie extremadamente rara en el área es la anémona de bayas *(Alicia mirabilis)*, semejante a una coliflor con tentáculos blancos, amarillos y verdes oscuro.

Punta Cahuita en su mayor parte está ocupada por un pantano situado en la depresión existente entre la plataforma de coral y la tierra firme. Dos árboles muy abundantes aquí son el cativo *(Prioria copaifera)* y el sangregao *(Pterocarpus officinalis)*, con su característica savia de color rojo. Otros hábitats presentes en el parque son el bosque mixto no inundado, el manglar

La sombra de los árboles llega hasta el mismo borde del mar en las playas de este parque nacional.

The shadows of the trees reach almost to the water's edge in this national park.

green (Chelonia mydas), loggerhead (Caretta caretta) and hawksbill (Eretmochelys imbricata). In 2002, 105 nests of the latter species were counted, indicating that this park is the most important laying site in the whole of the Caribbean for this threatened species.

The most abundant corals on the coral reef are elkhorn (Acropora palmata) and brain corals (Diploria strigosa and Colcophyllia natans). There are also lots of sea urchins and Venus sea fans (Gorgonia flabellum). Thirty five species of coral, 140 species of molluscs, 44 crustaceans, 128 algae, 3 halophytic phanerogams and 123 fishes have so far been identified. Some of the latter, such as the queen angelfish (Holocanthus ciliaris) and the rock beauty (Holacanthus tricolor), are spectacularly colourful. An extremely rare species in the area is the berried anemone (Alicia mirabilis), which looks like a cauliflower with white, yellow and dark green tentacles.

Most of Punta Cahuita is a swamp in a depression between the coral platform and the mainland. Two species found in large numbers here are the cativo (Prioria copaifera) and the sangregao (Pterocarpus officinalis), with its characteristic red sap. Other habitats present in the park are the mixed non-flooded forest, mangrove swamps and coastal vegetation with an abundance of coconut palms (Cocos nucifera) and sea grapes (Coccoloba uvifera).

AL PARQUE NACIONAL SE PUEDE ACCEDER a través de Cahuita o a través de Puerto Vargas. Un sendero por el borde de su larga playa comunica ambos lugares.

THE NATIONAL PARK can be accessed via Cahuita or Puerto Vargas. A path along the edge of the long beach links both sites.

comercio de esclavos que naufragó en la segunda mitad del siglo XVIII, situado al norte de la desembocadura del río Perezoso, constituye el recurso cultural más importante del parque.

Cahuita se localiza al sur de Puerto Limón, sobre la costa del Caribe. La administración se encuentra en el pueblo de Cahuita, situado en las afueras del parque. La distancia Limón-Cahuita es de 49 km por carretera asfaltada. Un sendero por la playa comunica la administración con Puerto Vargas. En esta última área existen sitios para acampar con mesas, lavabos y agua potable, y una sala de exhibiciones. Tanto en Puerto Vargas como cerca de Cahuita se puede nadar con seguridad. Existen servicios de autobuses San José-Cahuita y Limón-Cahuita. En esta última localidad hay hoteles, pensiones, restaurantes y mercados. Para cualquier información dirigirse a las oficinas del parque. Telf.: (506) 755-0060; fax: (506) 755-0455; o al Telf. en Puerto Vargas: (506) 755-0302; e-mail: aclac@minae.go.cr

Los fuertes vientos azotan con mucha frecuencia estas costas caribeñas. En el litoral de Cahuita es frecuente la presencia de numerosos troncos secos rotos por los vientos huracanados. A la derecha, un zopilote negro.

Strong winds often lash these Caribbean coasts. On Cahuita's coastline, dry tree trunks broken by hurricane-force winds are a common sight. On the right, a black vulture.

y la vegetación litoral, con abundancia de cocoteros *(Cocos nucifera)* y papaturros *(Coccoloba uvifera)*.

Entre los mamíferos más comunes se encuentran los monos congo *(Alouatta palliata)* –cuyos aullidos pueden escucharse hasta una distancia de 16 km–, los mapachines cangrejeros *(Procyon cancrivorus)* y los pizotes *(Nasua narica)*. En el pantano es habitual la presencia del ibis verde *(Mesembrinibis cayennensis)*, del martinete coronado *(Nyctanassa violacea)* y del martinete cucharón *(Cochlearius cochlearius)*, al que se observa en colonias de 50 o más individuos. Los restos de un barco para el

132

Among the most common mammals are howler monkeys (*Alouatta palliata*), whose calls can be heard up to 16 km away; crab-eating raccoon *(Procyon cancrivorus)* and white-nosed coatis *(Nasua narica)*. In the swamp there are usually green ibises *(Mesembrinibis cayennensis)*, yellow-crowned night-herons *(Nyctanassa violacea)* and the boat-billed herons *(Cochlearius cochlearius)*, which can be seen in colonies of 50 or more. The remains of a slave trade boat that was ship-wrecked in the second half of the eighteenth century, north of the mouth of the River Perezoso constitutes the park's most important cultural resource.

Cahuita is located south of Puerto Limón on the Caribbean coast. The offices are in the town of Cahuita on the outskirts of the park. Limón is 49 km from Cahuita along an asphalted road. There is a path along the beach that joins the offices with Puerto Vargas where there are camping sites with tables, toilets and drinking water, and an exhibition hall. Both in Puerto Vargas and around Cahuita there is safe bathing. Bus services operate between San José and Cahuita and Limón-Cahuita.

In Cahuita, there are hotels, boarding houses, restaurants and markets. For information, contact the park offices. Tel.: (506) 755-0060; fax (506) 755-0455, or on Tel. in Puerto Vargas (506) 755-0302; e-mail: aclac@minae.go.cr

A I A DERECHA, LA PLAYA EN EL SECTOR PUNTA VARGAS. *Abajo, un grupo de vistosas actinias asentadas sobre los corales, y un bando de navajones azules, peces bastante comunes en el arrecife.*

*O*N THE RIGHT, THE BEACH *in the Punta Vargas sector. Below, a group of striking actinias settled on coral, and a shoal of blue tang surgeon fish, quite common on the reef.*

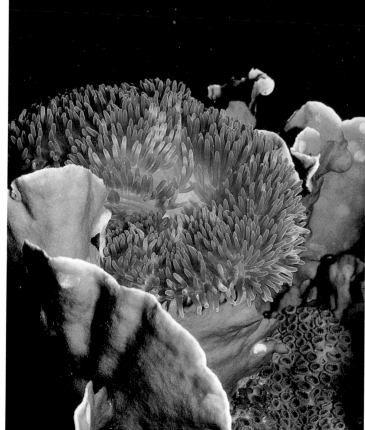

baula *(Dermochelys coriacea)* en el Caribe sur de Costa Rica. En 2002 se censaron 628 nidos de esta especie. Una buena parte del refugio, que es llana o formada por pequeñas colinas, está tapizada por bosques, mientras que el resto aparece cubierto por pastizales y cultivos. En estos bosques la especie dominante es el cativo *(Prioria copaifera)*. El refugio, que posee una variada avifauna, protege diversas especies de animales que están en vías de extinción en Costa Rica, como la danta *(Tapirus bairdii)* y el cocodrilo *(Crocodylus acutus)*. En 1995, esta área fue incorporada a la Lista de Humedales de Importancia Internacional de Ramsar.

ZONA PROTECTORA CUENCA DEL RÍO BANANO

Protege la cuenca superior del río del mismo nombre. La conservación de los bosques de esta cuenca es de particular importancia para preservar los acuíferos que surten de agua a la ciudad de Limón. Esta zona protectora se encuentra en su mayor parte cubierta por una floresta muy húmeda, que corresponde principalmente a la zona de vida bosque muy húmedo tropical, transición a premontano. Algunos caminos de tierra que parten de La Bomba permiten llegar cerca de los límites de esta área.

ZONA PROTECTORA PACUARE

Forma parte de la cuenca media del río Pacuare. Es un área muy lluviosa, donde se ha logrado conservar buena parte de la floresta original. La vegetación está constituida por bosques muy húmedos, tanto de tierras bajas como de tierras intermedias, en los cuales algunos de los árboles más altos son el espavel *(Anacardium excelsum)* y el surá *(Terminalia oblonga)*. Los felinos son muy comunes en esta zona. Varios de los

REFUGIO NACIONAL DE VIDA SILVESTRE GANDOCA-MANZANILLO

Constituye una de las áreas de mayor belleza escénica del país. La costa del refugio está formada por varias puntas arrecifales emergidas, entre las que se desarrollan playas de arenas blancuzcas, de suave pendiente y poco oleaje debido a la escasa profundidad litoral, bordeadas por infinidad de cocoteros y arrecifes coralinos que se extienden hasta 200 m mar adentro. Es el área más importante de desove de la tortuga

Junto a estas líneas, una de las playas de arena blanca del Refugio Nacional de Vida Silvestre Gandoca-Manzanillo y, arriba, una estrella de mar.

Alongside, one of the white sand beaches of Gandoca-Manzanillo Wildlife Refuge and, above, a starfish.

GANDOCA-MANZANILLO NATIONAL WILDLIFE REFUGE

THIS IS ONE OF THE MOST BEAUTIFUL AREAS of the country. The refuge's coast consists of several emerged coral reef points with gently sloping white sand beaches and few waves due to the shallowness on the coast, which is bordered by countless coconut palms and coral reefs extending as much as 200 meters into the sea. It is the most important laying site for *Dermochelys coriacea* in the southern Caribbean part of Costa Rica, with 628 nests of this species recorded in 2002. A large part of the refuge, which is flat or made up of small hills, is covered in forests while the rest is carpeted in grasslands and fields. In those forests the dominant species is the cativo *(Prioria copaifera)*.

The refuge, which has varied bird life, protects various animal species that are threatened with extinction in Costa Rica, such as Baird's tapir *(Tapirus bairdii)* and the crocodile *Crocodylus acutus*. This area was included on the Ramsar List of Wetlands of International Importance in 1995.

RÍO BANANO BASIN PROTECTION ZONE

THIS PROTECTS THE UPPER BASIN of the river of the same name. Conserving the forests of this basin is of particular importance to protect aquifers that supply the city of Limón with water. This protection zone is mainly covered in very moist tropical forest, mostly tropical wet forest in the premontane belt transition life zone. Some dirt tracks leave La Bomba and go very near the boundaries of this protection zone.

PACUARE PROTECTION ZONE

THIS IS PART OF THE MIDDLE BASIN of the River Pacuare. It is a very wet area where a large part of the original forest has been conserved. The vegetation consists of very moist forests, both lowland and intermediate, in which some of the highest trees are the espave *(Anacardium excelsum)* and the nargusta *(Terminalia oblonga)*. Cat species are very common in this protection zone. Several of the dirt tracks that branch off from the Turrialba-Siquirres highway offer views of the forest and go as far as the bed of the Pacuare.

A LA DERECHA, el pez Priacanthus cruentatus, *una de las especies más bellas del arrecife. Arriba, un ejemplar de basilisco.*

RIGHT, Priacanthus cruentatus, *one of the loveliest reef species. Above, a basilisk*

En los bosques de las abundantes áreas de conservación de la vertiente caribeña es frecuente la presencia del carpintero centroamericano.

In the forests of the many conservation areas on the Caribbean side black-cheeked woodpecker is common.

caminos de tierra que parten de la carretera Turrialba-Siquirres permiten observar el bosque y llegar hasta el cauce del Pacuare.

HUMEDAL NACIONAL CARIARI

LA CONFLUENCIA DE AGUA DULCE procedente de ríos y canales, con el agua salada del mar, da lugar en este humedal a la presencia de una gran diversidad de especies de flora y fauna. Son aquí muy abundantes los árboles de jelinjoche *(Pachira aquatica)* y de guaba *(Inga spp.)*. Éste es un buen lugar para observar los manatíes *(Trichechus manatus)*. Se puede llegar hasta el borde del humedal siguiendo un sendero que parte de los canales de Tortuguero.

RESERVA FORESTAL PACUARE-MATINA

CUBRE EL SECTOR COMPRENDIDO entre las bocas de los ríos Pacuare y Matina, y protege el último bloque de bosque que queda en esta zona. En la playa, que es de alta energía, nidifican tortugas marinas, incluyendo la baula *(Dermochelys coriacea)*. También abundan aquí las tortugas de río. Los canales de Tortuguero atraviesan esta reserva.

REFUGIO NACIONAL DE VIDA SILVESTRE LIMONCITO

TIENE UN GRAN POTENCIAL RECREATIVO por localizarse 2 km al sur de la ciudad de Limón. Está cubierto por yolillales, formados principalmente por la palma yolillo *(Raphia taedigera)*; por bosques anegados, donde abundan las palmas y el cativo *(Prioria copaifera)*, y por un pequeño manglar. Una especie muy común aquí es el mono congo *(Alouatta palliata)*. La playa, aunque posee un gran oleaje, es de gran belleza por la abundancia de cocoteros *(Cocos nucifera)*. La carretera entre Limón y La Bomba atraviesa este refugio.

ZONA PROTECTORA RÍO NAVARRO Y RÍO SOMBRERO

SE LOCALIZA EN EL EXTREMO NOROESTE del complejo de La Amistad. Son terrenos de topografía medianamente quebrada, cubiertos parcialmente de bosques primarios intervenidos y bosques secundarios, cuya protección y restauración tiene mucho valor, por cuanto estos dos ríos forman parte de la cuenca superior del Reventazón, de gran importancia para la generación hidroeléctrica. En esta área protegida son comunes las oropéndolas cabecicastañas *(Psarocolius wagleri)*, los tucanetes esmeraldas *(Aulacorhynchus prasinus)* y diversas especies de colibríes. Algunos caminos de tierra que parten desde Puente Negro, cerca de Orosí, permiten adentrarse un poco en esta zona protectora.

RESERVA FORESTAL RÍO MACHO

ES UN ÁREA MUY QUEBRADA, que presenta profundos cañones excavados por los ríos que descienden de las partes más altas de la cordillera de Talamanca. La zona es de muy alta precipitación; en la cuenca del río Macho llueve hasta 5.300 mm por año. La mayor parte de esta reserva está cubierta por un bosque primario muy húmedo, en el cual algunas de las especies dominantes son el roble *(Quercus spp.)*, el tirrá *(Ulmus mexicana)* y el ira rosa *(Ocotea austinii)*. Los bosques de esta reserva tienen una enorme importancia para el suministro de agua para generación hidroeléctrica. Algunos caminos que parten de Río Macho permiten adentrarse un poco en esta reserva.

CARIARI NATIONAL WETLAND

THE CONFLUENCE OF FRESHWATER from rivers and channels with sea water gives rise in this wetland to a great diversity of species of flora and fauna. There are a great many provision trees *(Pachira aquatica)* and ice cream beans *(Inga* spp.). This is a good place to spot manatees *(Trichechus manatus)*. Access to the edge of the wetland is along a path that starts from the Tortuguero channels.

PACUARE-MATINA FOREST RESERVE

THIS COVERS THE SECTOR INCLUDED between the mouths of the rivers Pacuare and Matina and protects the last block of forest left in the area. Sea turtles, including the leatherback *(Dermochelys coriacea)* nest on the beach, which is brimming with life. There are also a great many river turtles there. The Tortuguero Channels cross this reserve.

LIMONCITO NATIONAL WILDLIFE REFUGE

IT HAS GREAT RECREATIONAL POTENTIAL as it lies just 2 km south of the city of Limón. It is covered in stands of yolillo palm *(Raphia taedigera)*; flooded forest, with many palms and cativos *(Prioria copaifera)*, and a small mangrove swamp. Mantled howler monkeys *(Alouatta palliata)* are very common. In spite of the strong waves, the beach is extremely lovely for the large number of coconut palms *(Cocos nucifera)*. The road between Limón and La Bomba crosses this refuge.

RÍO NAVARRO AND RÍO SOMBRERO PROTECTION ZONE

IT IS AT THE NORTHWEST END OF La Amistad complex. The topography of the land is quite rugged and it is partially covered in disturbed primary and secondary forests, which it is very worthwhile protecting and restoring as the two rivers are part of the upper basin of the Reventazón, very important for hydroelectric power. In this protected area the chestnut-headed oropendolas *(Psarocolius wagleri)*, emerald toucanets *(Aulacorhynchus prasinus)* and various species of hummingbirds are very common. A few dirt roads leave Puente Negro near Orosí and permit visitors to go a little way into this protection zone.

RÍO MACHO FOREST RESERVE

THIS AREA IS DEEPLY ETCHED by water courses with deep canyons carved out by the rivers that flow down from the highest parts of the Talamanca Mountains. Precipitation in the area is very high; in the basin of the River Macho up to 5,300 mm of rain falls per year. Most of this reserve is covered in very wet primary forest with predominant species that include oaks *(Quercus* spp.), elms *(Ulmus mexicana)* and iras *(Ocotea austinii)*. The forests in this reserve are enormously important for supplying water for hydroelectric power. A few roads leave Río Macho and go a little way into the reserve.

RÍO TUIS BASIN PROTECTION ZONE

THIS IS A VERY WET AREA and quite steep. It has conserved most of its original forests. The oaks *(Quercus* spp.), magnolias *(Magnolia sororum)* and lancewoods *(Nectandra salicina)* are

EL CENSO DE ANFIBIOS Y REPTILES en estas dos áreas de conservación contiguas supera las 230 especies. Entre ellas se encuentra Dendrobates auratus.

THE LIST OF AMPHIBIANS and reptiles recorded in these two conservation areas exceeds 230 species. It includes Dendrobates auratus.

Arriba, un ofiuroideo sobre una esponja en uno de los parches arrecifales del litoral caribeño costarricense. Abajo, el abundante Bufo marinus.

Above, an ophiuroid on a sponge in one of the reef patches of Costa Rica's Caribbean coast. Below, the abundant Bufo marinus.

ZONA PROTECTORA CUENCA DEL RÍO TUIS

Es UN ÁREA EXTREMADAMENTE LLUVIOSA, bastante escarpada, que ha conservado la mayor parte de sus bosques originales. Algunos de los árboles más comunes son los robles *(Quercus spp.)*, las magnolias *(Magnolia sororum)* y los quizarrás *(Nectandra salicina)*; en el sotobosque son abundantes los helechos arborescentes. La preservación de la floresta de esta área protegida y la de todo el complejo de La Amistad, para el suministro de aguas limpias y constantes, es uno de los objetivos principales de esta Reserva de la Biosfera, de la cual el río Tuis forma parte. Algunos caminos de tierra que parten de la carretera Turrialba-Platanillo permiten adentrarse un poco en esta zona protectora.

ZONA PROTECTORA LAS TABLAS

Forma PARTE DE LA Reserva de la Biosfera La Amistad. El bosque aquí existente, que cubre casi la totalidad de la zona protectora, es alto y diverso en especies arbóreas, con predo-

minio de robles *(Quercus spp.)*. Las lauráceas, principal alimento del quetzal *(Pharomachrus mocinno)*, forman aquí rodales casi puros en algunas partes. En el sotobosque abundan las palmas; la mayoría de los árboles están cargados de epifitas. En esta zona, que es muy lluviosa, nacen una gran cantidad de ríos que abastecen de agua a toda la región de San Vito. Un camino lastrado vía San Vito-La Lucha-Las Tablas permite conocer los bosques, realmente hermosos, de esta zona protectora.

HUMEDAL DE SAN VITO

Constituye UN HUMEDAL lacustrino permanente, constituido por varias lagunas y lagunetas y por un bosque pantanoso. Es un lugar ideal para observar aves acuáticas como patos, suriríes piquirrojos *(Dendrocygna autumnalis)* –muy abundantes–, martines pescadores *(Chloroceryle sp.)* y tántalos americanos *(Mycteria americana)*. Un mamífero común en este humedal y que ha desaparecido de la mayoría de los ríos y pantanos del país es la nutria *(Lontra longicaudis)*. Un camino de tierra que parte del campo de aterrizaje de San Vito permite llegar hasta este humedal.

HUMEDAL PALUSTRINO LAGUNA DEL PARAGUAS

Es UNA LAGUNA IMPORTANTE para la protección de aves, tanto migradoras como residentes, que se encuentra rodeada por bosques primarios y secundarios. Esta laguna contiene muchas especies de peces, algunos endémicos, que son hábilmente cazados por especies de aves como la garza azulada *(Ardea herodias)*, la garza migradora de mayor tamaño del país. Un camino de tierra que parte de Concepción, cerca de San Vito, permite llegar hasta esta laguna.

some of the most common trees. In the undergrowth, there are a great many tree-ferns. Preserving the forest in this protected area and in the whole La Amistad complex in order to provide a constant supply of clean water is one of the main aims of this Biosphere Reserve of which the River Tuis forms a part. A few dirt roads go a little way into this protection zone from the Turrialba-Platanillo highway.

LAS TABLAS
PROTECTION ZONE

IT FORMS PART OF THE La Amistad Biosphere Reserve. The forest here covers almost all the protection zone. It is high and diverse in tree species with a predominance of oaks (Quercus spp.). Here, the Lauraceae, the main food of the quetzal (Pharomachrus mocinno), form almost pure stands in some parts. In the undergrowth, there are lots of palms and most of the trees are weighed down with epiphytes. This very wet zone is the source of a large number of rivers that supply the whole San Vito region with water. A grit road joining San Vito, La Lucha and Las Tablas allows visitors to get a taste of the truly beautiful forests in this protection zone.

SAN VITO WETLAND

THIS CONSTITUTES A PERMANENT lacustrine wetland made up of several large and small lagoons and by a swamp forest. It is an ideal spot to watch birds such as ducks, black-bellied whistling ducks (Dendrocygna autumnalis) – very abundant – kingfishers (Chloroceryle sp.) and wood storks (Mycteria americana). A common mammal in this wetland, which has disappeared from most of the country's rivers and swamps, is the otter (Lontra longi-

caudis). A dirt track goes from the landing strip at San Vito to this wetland.

PARAGUAS LAGOON PALUSTRINE WETLAND

THIS LAGOON, important for the protection of both migratory and resident birds, is surrounded by primary and secondary forests. It contains many species of fish, some of them endemic, which are skilfully caught by birds like the great blue heron (Ardea herodias), the largest migratory heron in the country. A dirt track goes from Concepción, near San Vito, to this lagoon.

LA PLAYA DE MANZANILLO, de arenas blancas, se ha formado entre las puntas arrecifales emergidas en este refugio.

MANZANILLO BEACH is one of the many white sand beaches that have formed among the emerged parts of the reef in this national refuge.

139

OSA

UN SECTOR IMPORTANTE del litoral pacífico costarricense -especialmente en su mitad sur- se encuentra protegido por diferentes áreas de conservación. Dos de las más importantes son el Parque Nacional Corcovado, del que vemos una sección de su costa (junto a estas líneas), y el Parque Nacional Marino Ballena, del que observamos, en la fotografía de la derecha, la playa Bahía. Abajo, la silueta de un playero aliblanco.

AN IMPORTANT SECTOR OF Costa Rica's Pacific coastline - especially in the southern half - is protected by different conservation areas. Two of the most important are Corcovado National Park, of which we can see a section of its coast (alongside), and Marino Ballena National Park, of which the photo on the right illustrates Bahía Beach. Below, the outline of a willet.

140

Parque Nacional
Marino Ballena

Este parque nacional posee cinco playas principales, algunas de blancas arenas y otras pedregosas como la de Piñuela (abajo). Hasta la línea de mareas llegan los cocoteros junto a numerosos arbustos.

This national park has five main beaches, some are white sand and others, such as Piñuela Beach are rocky (below). Coconut palms along with many shrubs grow down as far as the tideline.

A PESAR DE SU PEQUEÑO TAMAÑO, este parque marino contiene 6 hábitats principales: playas arenosas y pedregosas, manglares, acantilados, islas y un arrecife de coral. Una playa arenosa de 4 km de largo se extiende entre las puntas Uvita y Quebrada Grande. El tipo de vegetación más extenso es el manglar, en el que se encuentra el mangle rojo *(Rhizophora mangle)*, el salado *(Avicennia germinans)*, el piñuela *(Pelliciera rhizophorae)*, el botoncillo *(Conocarpus erectus)* y el mariquita *(Laguncularia racemosa)*. Esporádicamente se localiza el mora o alcornoque *(Mora oleifera)*, un árbol de gran tamaño, con gambas grandes y delgadas. Entre Punta Piñuela y Punta Uvita se ha desarrollado una plataforma de abrasión marina que se encuentra conectada a

BALLENA
MARINE NATIONAL PARK

ESPITE BEING SMALL, THIS PARK HOSTS 6 MAIN HABITATS: sandy and pebble beaches, mangroves, cliffs, islands and a coral reef. One 4-kilometer sandy beach stretches between Uvita Point and Quebrada Grande Point. The most widespread kind of vegetation is the mangrove, in which the red mangrove *(Rhizophora mangle)*, the black mangrove *(Avicennia germinans)*, the tea mangrove *(Pelliciera rhizophorae)*, the buttonwood mangrove *(Conocarpus erectus)* and the white mangrove *(Laguncularia racemosa)* occur. The alcornoque *(Mora olcifera)*, a very large tree with large thin buttresses, makes an irregular appearance.

Between Piñuela Point and Uvita Point a marine abrasion platform has formed. It is connected to the mainland via a sandy

ESTE PARQUE NACIONAL, CREADO EN 1992, posee sólo 172 hectáreas terrestres y 5.160 hectáreas marinas. Abajo, la bella playa arenosa de Bahía en marea baja.

THIS NATIONAL PARK, created in 1992, has only 172 hectares of terrestrial land and 5,160 hectares of marine territory. Below, the lovely sandy beach of Bahía at low tide.

*Aʀʀɪʙᴀ, ᴄᴏʀᴏᴄᴏʀᴏs ʙʟᴀɴᴄᴏs junto al manglar
del parque nacional, y una vista aérea de este manglar,
de la playa y del litoral marino.*

*Aʙᴏᴠᴇ, ᴡʜɪᴛᴇ ɪʙɪs and mangroves in the
national park, and an aerial view of this
mangrove swamp, the beach and the coastline.*

tierra firme por un puente arenoso o tómbolo formado natural-mente por la difracción de las olas al chocar con la punta rocosa. Se puede visitar fácilmente durante la marea baja. En la isla Ballena y los islotes Las Tres Hermanas existen dos especies de reptiles: la iguana verde *(Iguana iguana)* y el cherepo *(Basiliscus basiliscus)*. Las tijeretas de mar *(Fregata magnificens)*, los corocoros blancos *(Eudocimus albus)* y los pelícanos alcatraces *(Pelecanus occidentalis)* utilizan estas islas como lugar de descanso.

Los arrecifes de coral están formados por cinco de las 18 especies que se han censado en el Pacífico oriental. Además de su riqueza piscícola y de la abundancia de invertebrados marinos, en las aguas del parque pueden observarse delfines comunes *(Delphinus delphis)*, delfines manchados *(Stenella attenuata)*, delfines giradores *(Stenella longirostris)* y delfines de nariz de botella *(Tur-*

siops truncatus); orcas *(Orcinus orca)* y, durante buena parte del año, ballenas jorobadas *(Megaptera novaeangliae)*, en grupos de 4 hasta 12 individuos, incluyendo crías, que emigran hasta aquí tanto del hemisferio austral –de junio a noviembre– como del boreal –de diciembre a abril–. En playa Ballena desovan las tortugas marinas.

Ballena se encuentra en la costa del Pacífico, en la bahía de Coronado. La principal ruta de acceso es San José-Quepos-Dominical-Uvita-Bahía (228 km), camino que está en parte pavimentado y en parte lastrado. En Dominical hay hoteles, restaurantes y pulperías, y cerca del parque hay una pensión. Existen servicios de autobuses San José-Uvita y San Isidro-Uvita. Para cualquier tipo de información dirigirse a las oficinas del parque. Telf.: (506) 786-7161; e-mail: palmar@minae.go.cr

bridge or tombolo, which took shape naturally through the defraction of the waves on the rocky point. It can easily be visited at low tide. On Ballena Island and the Las Tres Hermanas Islets there are two species of reptiles: the green iguana *(Iguana iguana)*, and the basilisk *(Basiliscus basiliscus)*. Magnificent frigate birds *(Fregata magnificens)*, white ibis *(Eudocimus albus)* and brown pelicans *(Pelecanus occidentalis)* use these islands as a roosting site.

The coral reefs are made up of five of the 18 species recorded in the Eastern Pacific. In addition to the wealth of fish and the abundance of marine invertebrates in the park waters, it is possible to see common dolphins *(Delphinus delphis)*, pantropical spotted dolphins *(Stenella attenuata)*, spinner dolphins *(Stenella longirostris)* and bottle-nosed dolphins *(Tursiops truncutus)*, orcas *(Orcinus orca)* and, for a large part of the year, humpback whales *(Megaptera novaeangliae)* in groups of from 4 to 12 individuals, including young, which emigrate here from the southern and northern hemispheres from June to November and December to April, respectively. Marine turtles lay their eggs on Ballena Beach.

Ballena is on the Pacific Coast in Coronado Bay. The main access route is San José-Quepos-Dominical-Uvita-Bahía (228 km), a road that is partly asphalted and partly grit. In Dominical there are hotels, restaurants and food shops, and near the park there is a boarding house. Bus services operate between San José and Uvita and San Isidro and Uvita.

For information, contact the park offices on Tel.: (506) 786-7161; e-mail: palmar@minae.go.cr

Arriba, el tómbolo que conecta la plataforma de abrasión marina con tierra firme. Abajo, cocoteros en la playa Bahía.

Above, the tombolo or spit that joins the marine abrasion platform to the mainland. Below, coconut palms at Bahía Beach.

PARQUE NACIONAL CORCOVADO

ES UNA DE LAS ÁREAS MÁS LLUVIOSAS DEL PAÍS –hasta 5.500 mm en los cerros más elevados– y su vegetación, una de las más ricas y diversas de Costa Rica, tiene gran afinidad florística con Suramérica. Los principales hábitats son el bosque de montaña, que cubre más de la mitad del parque y contiene la mayor variedad de especies de fauna y flora del área; el bosque nublado, que ocupa las partes más elevadas y es muy rico en robles *(Quercus insignis* y *Q. rapurahuensis)* y en helechos arborescentes; el bosque alto de llanura, que ocupa la parte aluvial del parque; el bosque pantanoso, que permanece inundado casi todo el año; el yolillal, con predominio de la palma yolillo *(Raphia taedigera);* el pantano herbáceo de agua dulce o laguna de Corcovado, de más de 1.000 ha de superficie, cubierta por hierbas y arbustos y que constituye un excepcional refugio para la fauna; el manglar, que se encuentra en los esteros de los ríos Llorona, Corcovado y Sirena, y la vegetación litoral.

EN LA DESEMBOCADURA DEL RÍO LLORONA, en el Pacífico, se ha llegado a formar una extensa playa en la que desovan con relativa frecuencia cuatro especies de tortugas marinas.

AT THE MOUTH OF THE LLORONA RIVER on the Pacific side, an extensive beach has formed where four species of marine turtle quite often lay their eggs.

CORCOVADO
NATIONAL PARK

I T IS ONE OF THE WETTEST AREAS IN THE COUNTRY. As much as 5,500 mm falls on the highest hills. The vegetation, one of the richest and most diverse in Costa Rica, is botanically very similar to South America. The main habitats are mountain forest that covers over half the park and contains the greatest variety of species of fauna and flora in the area; the cloud forest that occupies the highest parts is very rich in oaks *(Quercus insignis and Q. rapurahuensis)*, and in tree-ferns; high plains forest, occupying the alluvial part of the park; swamp forest that is flooded almost all year; holillo forest with the holillo palm *(Raphia taedigera)*; predominant herbaceous freshwater swamp and Corcovado Lagoon over 1,000 ha in area, covered in grasses and bushes and representing an exceptional refuge for animals and birds; mangrove swamp in the lagoons of the rivers Llorona, Corcovado and Sirena, and coastal vegetation.

There are 500 species of trees in the entire park, representing a fourth of all the tree species in Costa Rica. Some, like the

EN LA DESEMBOCADURA DEL RÍO SIRENA, también en el Pacífico, se ha desarrollado un importante bosque anegado, así como una playa también denominada Sirena.

AT THE MOUTH OF THE SIRENA RIVER, also in the Pacific, there is a large forest swamp and a beach also called Sirena.

En EL PARQUE SE HAN CENSADO *hasta 140 especies de*
mamíferos, entre ellas cuatro de primates.
Dos de los más representativos son el pequeño y
amenazado mono tití y el siempre inquieto
y espectacular mono araña.

As MANY AS 140 MAMMALS *species have been recorded*
in the park, including four primates.
Two of the most representative are the small,
threatened red-backed squirrel monkey and
the always restless and spectacular spider monkey.

Existen unas 500 especies de árboles en todo el parque, lo que representa una cuarta parte de todas las especies arbóreas de Costa Rica. Algunos, como el endémico y raro gambito (*Huberodendron allenii*), el nazareno (*Peltogyne purpurea*), el ceiba (*Ceiba pentandra*) y el espavel (*Anacardium excelsum*), alcanzan y sobrepasan los 50 m de altura; en las serranías se encuentran dos especies de cacao silvestre (*Theobroma angustifolium* y *T. simiarum*).

La fauna de Corcovado es tan variada y rica como su flora. Se conoce la existencia de 140 especies de mamíferos, 367 de aves, 117 de anfibios y reptiles y 40 de peces de agua dulce y se esti-

ma que existen unas 6.000 de insectos. El parque protege la población más grande de lapas rojas (*Ara macao*) del país. Algunas de las especies amenazadas de extinción que se encuentran aquí son la danta (*Tapirus bairdii*), el oso hormiguero gigante (*Myrmecophaga tridactyla*) y cinco de las seis especies de felinos que se encuentran en Costa Rica: el puma (*Puma concolor*), el ocelote (*Leopardus pardalis*), el león breñero (*Herpailurus yaguarondi*), el caucel (*Leopardus wiedii*) y el jaguar (*Panthera onca*).

En la extensa playa Llorona desovan con relativa abundancia cuatro especies de tortugas marinas. En la zona marina, frente a Corcovado, es común observar delfines, tiburones toro

endemic and rare poponjoche *(Huberodendron alleni)*, the purple heart *(Peltogyne purpurea)*, the silk cotton tree *(Ceiba pentandra)* and the espavel *(Anacardium excelsum)*, reach or exceed 50 m high. In the mountains two species of wild cocoa *(Theobroma angustifolium* and *T. simiarum)* occur.

The fauna of Corcovado is as rich and varied as its plants. 140 species of mammals, 367 birds, 117 amphibians and reptiles and 40 freshwater fishes are known to occur there, and there are estimated to be 6,000 insects. The park holds the biggest population of scarlet macaw *(Ara macao)* in the country. Some of the threatened species found there are Baird's tapir *(Tapirus bairdii)*,

giant anteater *(Myrmecophaga tridactyla)* and five of the six species of cats found in Costa Rica; namely, puma *(Puma concolor)*, ocelot *(Leopardus pardalis)*, jaguaroundi *(Herpailurus yaguarondi)*, margay *(Leopardus wiedii)* and jaguar *(Panthera onca)*. On wide Llorona Beach four species of marine turtles lay their eggs in relatively large numbers. In the sea area off Corcovado, dolphins, bull sharks *(Carcharhinus leucus)* and three species of whales, including the humpback *(Megaptera novaeangliae)*, can often be seen.

Given its extraordinary biological diversity, Corcovado is currently an important center for research into moist tropical forest;

EN CORCOVADO EXISTEN HASTA 500 ESPECIES de árboles, lo que supone la cuarta parte de todas las especies arbóreas de Costa Rica. Entre ellos se encuentran algunos ejemplares gigantescos de higuerones (izquierda). Arriba, una ranita de vidrio.

CORCOVADO IS HOME TO 500 tree species, a figure that accounts for a fourth of all the tree species in Costa Rica. They include some huge fig trees (left). Above, a glass frog.

149

*A LA DERECHA, EL PANTANO HERBÁCEO de agua dulce,
conocido como laguna de Corcovado, que se extiende
sobre mil hectáreas. A la izquierda, una bella mariposa y
arriba, un ejemplar de tucán piquiverde.*

*ON THE RIGHT, THE FRESHWATER herbaceous swamp known
as Corcovado Lagoon, which covers over a thousand hectares.
On the left, a lovely butterfly and, above, a keel–billed toucan.*

los más importantes son Río Claro, San Pedrillo (por la playa y el bosque), Ollas, Río Sirena, Los Espaveles y Río Pavo. En La Leona hay los senderos El Mirador y Leona-Sirena; en Los Patos, El Mirador y Patos-Sirena y, en San Pedrillo, La Catarata, Río Pargo y San Pedrillo-Llorona. Existen áreas de acampar y almorzar en Sirena, La Leona, Los Patos y San Pedrillo, con mesas, lavabos y agua potable.

El acceso hasta Sirena puede lograrse por medio de avioneta desde San José. Por tierra es posible llegar desde Puerto Jiménez hasta La Leona (44 km), por caminos lastrados y de tierra. Existe un servicio colectivo Puerto Jiménez-La Leona. En Puerto Jiménez hay hoteles, pensiones, restaurantes y mercados, y en las cercanías del parque se han establecido reservas naturales privadas que cuentan con cabinas y estaciones biológicas. Para cualquier tipo de información dirigirse a los Telf.: (506) 735-5282, 735-5036; fax (506) 735-5276; e-mail: corcovado@minae.go.cr

Una hembra de jaguar con su pequeña cría se pasea por la playa al amanecer en las proximidades de la desembocadura del río Sirena. A la derecha, la venenosa serpiente bocaracá.

A female jaguar with her small cub walks along the beach at dawn near the mouth of the Sirena River. On the right, the poisonous eyelash viper.

(Carcharhinus leucas) y tres especies de ballenas, incluyendo la jorobada (Megaptera novaeangliae).

Dada su extraordinaria diversidad biológica, Corcovado constituye actualmente un importante centro internacional de investigaciones sobre el bosque húmedo tropical. En Sirena existe una estación biológica que cuenta con facilidades para desarrollar investigaciones. Este parque, así como el resto de la península, parece haber sido un importante centro de asentamiento de pueblos prehispánicos, debido a los numerosos sitios arqueológicos que se han localizado prácticamente a lo largo de todos los senderos.

Corcovado se encuentra al suroeste de la península de Osa. La administración se localiza en Puerto Jiménez. En Sirena se cuenta con un campo de aterrizaje y se inician varios senderos;

in Sirena there is a biological station with facilities to carry out research. This park, like the rest of the Peninsula, appears to have been an important center of settlement for pre-Hispanic peoples given the many archeological sites discovered along almost all the paths. Corcovado is in the southwest of the Osa Peninsula. The offices are in Puerto Jiménez. Sirena has a landing strip and several paths lead off from there, the most important ones being Río Claro, San Pedrillo (along the beach and through the forest), Ollas, Río Sirena, Los Espaveles and Río Pavo. The El Mirador and Leona to Sirena paths are in La Leona. El Mirador and Patos to Sirena are in Los Patos, and the La Catarata, Río Pargo and San Pedrillo to Llorona are in San Pedrillo. There are camping and picnic sites in Sirena, La Leona, Los Patos and San Pedrillo, with tables, toilets and drinking water.

Access to Sirena is by light plane from San José. By land it is possible to get from Puerto Jiménez to La Leona (44 km) along grit and dirt roads. A collective bus service operates between Puerto Jiménez and La Leona. In Puerto Jiménez there are hotels, boarding houses, restaurants and markets. Private natural reserves with cabins and biological stations have been set up near the park. For information, please contact: Tel.: (506) 735-5282, 735-5036; fax: (506) 735-5276; e-mail: corcovado@minae.go.cr

VISTA AÉREA DE LA LAGUNA BUENAVISTA, separada del litoral pacífico por una barra de arena en la que comienza a establecerse la típica vegetación de playa con la presencia de cocoteros.

AERIAL VIEW OF BUENAVISTA LAGOON, separated from the Pacific coast by a sandbar where typical beach vegetation, with coconut palms, is beginning to get established.

PARQUE NACIONAL
PIEDRAS BLANCAS

EN LOS DENSOS BOSQUES PRIMARIOS siempreverdes de este parque nacional aún se encuentran auténticos colosos forestales y una rica fauna, como esta serpiente bejuquillo.

IN THE THICK EVERGREEN primary forests of this national park there are still true forest colossi and rich wildlife such as this vine snake.

LA MAYOR PARTE DE ESTE PARQUE está constituida por un bosque primario siempreverde, de alta a muy alta diversidad en especies de plantas y árboles grandes, con un dosel superior localizado a una altura media de 30 a 40 m, que crece sobre suelos arcillosos, bien drenados y de pendiente de moderada a escarpada. Junto con el Refugio de Golfito forma el extremo sureste del Arco Ecológico de Osa, que rodea el golfo Dulce y que se inicia en el Parque Nacional Corcovado.

La vegetación de Piedras Blancas, al igual que la de toda la península de Osa, ha sido considerada como uno de los más sobresalientes ejemplos mundiales en términos de biodiversidad. Constituye el último segmento extenso de bosque lluvioso de

PIEDRAS BLANCAS
NATIONAL PARK

MOST OF THIS PARK CONSISTS of primary evergreen forest, with a high to very high diversity in species of plants and large trees, and an upper canopy averaging 30 to 40 m in height growing on clayey well drained soil on a moderate to steep slope. Located next to the Golfito Refuge, it forms the south-eastern end of the Osa Ecological Arc, which surrounds Dulce Gulf and starts in Corcovado National Park.

The vegetation in Piedras Blancas, like that of all the Osa Peninsula, is regarded as one of the most outstanding examples in the world in terms of biodiversity. It is the last extensive tract of lowland rainforest on the Pacific coast of Central America, and this ecosystem has global priority in terms of conservation for the high level of endemic species it hosts, particularly plants, birds and insects. One of the characteristics of the forest is the large number of trees of the Moracea family, with over 16 species (*higuerones, ojoches, guarumos* and rubber tree).

Most of the park lies on three kinds of vegetation, which are listed as Esquinas forest, Highland Esquinas forest and Fila

SON ABUNDANTES LAS AVES de este parque nacional, desde el tucán pechigualdo a la paloma piquicorta, pasando por el colibrí variable (derecha).

BIRDS ABOUND IN THIS national park, from keel-billed toucan to short-billed pigeon or gray-tailed mountain-gem (right).

bajura de la costa pacífica de Centroamérica, un ecosistema que tiene prioridad global en términos de conservación por el alto nivel de endemismo que posee, particularmente en plantas, aves e insectos. Una de sus características forestales es la abundancia de árboles de la familia Morácea, con la presencia de unas 16 especies (higuerones, ojoches, guarumos y cauchos).

La mayor parte del parque se localiza sobre tres tipos de vegetación, que han sido denominados como Bosque de Esquinas, Bosque Alto de Esquinas y Bosque de la Fila Golfito. Estos bosques están constituidos por tres niveles: el dosel superior, el estrato medio y el sotobosque. En el dosel los árboles emergentes alcanzan de 40 a 50 m de altura, siendo las especies más comunes el nazareno *(Peltogyne purpurea)*, que suministra una de las maderas más preciosas del país, de bellísimo color púrpura; el baco o lechoso *(Brosimum utile)*, un árbol medicinal cuyo látex es utilizado para combatir úlceras estomacales;

el tamarindo *(Dialium guianense)*; la caobilla o cedro macho *(Carapa guianensis)*, cuyas semillas son alimento importante para las guatusas; el jabillo *(Hura crepitans)*, de cuyos frutos se alimentan las lapas rojas, y la palma *Iriartea deltoidea*, de hasta 30 m de altura y con raíces fúlcreas compactas.

En el estrato medio las especies típicas son las guabas *(Inga* spp.), los chapernos *(Lonchocarpus* spp.) y los gallinazos *(Schizolobium parahyba)*, con hojas que alcanzan hasta 2 m de largo. En el sotobosque, que es muy abierto, son abundantes las platanillas *(Heliconia* spp.), los sahinillos *(Dieffenbachia* spp.), las bijaguas *(Calathea* spp.) y las palmas real *(Atalea butyracea)*, la *Welfia georgii*, de hasta 15 m de altura y la viscoyol *(Bactris* spp.).

La fauna ha sido poco estudiada. Algunos de los mamíferos más conspicuos son el mono congo *(Alouatta palliata)*, el mono carablanca *(Cebus capucinus)*, el mapachín u osito lavador *(Procyon lotor)*, el pizote *(Nasua narica)*, el saíno *(Pecari tajacu)*, el tepezcuintle *(Agouti paca)*, la danta o tapir *(Tapirus bairdii)*, la guatusa *(Dasyprocta punctata)*, el puma *(Puma concolor)* y el jaguar *(Pantera onca)* –ambos felinos en grave peligro de extinción.

Algunas de las aves fácilmente identificables son el busardo blanco *(Leucopternis albicollis)*, el tucán pechigualdo *(Ramphastos swainsonii)* y la paloma piquicorta *(Columba nigrirostris)*, que es aquí muy abundante. En el mar, frente a este parque nacional existen parches de arrecifes coralinos y se pueden observar ballenas que llegan al golfo a reproducirse.

Este parque se localiza en la parte este del golfo Dulce, no lejos de Golfito. Algunos caminos de tierra, que dan acceso a las propiedades en proceso de compra, permiten observar el bosque en todo su esplendor. En Golfito existen hoteles, restaurantes, mercados y gasolineras.

Golfito forest. These forests consist of three levels: the upper canopy, the middle stratum and undergrowth. In the canopy the emerging trees can be up to 40 to 50 m high, the most common species being: pittier *(Peltogyne purpurea)*, which provides some of the country's most valuable wood, which is a lovely purple color; the Central American milk tree *(Brosimum utile)*, a medicinal tree whose latex is used to combat stomach ulcers; the tamarind *(Dialium guianense)*; crabwood *(Carapa guianensis)*, whose seeds are important in the diet of agoutis; the sandbox tree *(Hura crepitans)* on whose fruit red macaws feed, and the palm *Iriartea deltoidea*, up to 30 m in height and with compact stilt roots.

In the middle stratum, the typical species are *Inga* species, *Lonchocarpus* species and *Schizolobium parahyba*, with leaves up to 2 m long. In the undergrowth, which is very open, there is a large number of *Heliconia* species, dieffenbachias, zebra plants *(Calathea* spp.) and royal palm *(Atalea butyracea)*, as well as *Welfia georgii*, up to 15 m high and viscoyol *(Bactris* spp.).

The wildlife has not been studied to any great degree. Some of the most conspicuous mammals are the mantled howler monkey *(Alouatta palliata)*, white-fronted capuchin *(Cebus capucinus)*, raccoon *(Procyon lotor)*, white-nosed coati *(Nasua narica)*, collared peccary *(Pecari tajacu)*, paca *(Agouti paca)*, Baird's tapir *(Tapirus bairdii)*, agouti *(Dasyprocta punctata)*, puma *(Puma concolor)* and jaguar *(Pantera onca)* –both species that are seriously threatened with extinction. Some of the easily identifiable birds are the white hawk *(Leucopternis albicollis)*, chestnut-mandibled toucan *(Ramphastos swainsonii)* and short-billed pigeon *(Columba nigrirostris)*, which occurs in large numbers. In the sea, off this national park, there are patches of coral reef, and whales that come to the gulf to breed can sometimes be spotted.

This park is located in the eastern part of Dulce Gulf, not far from Golfito. A few dirt roads leading to properties that are in the process of being purchased enable visitors to observe the forest in all its splendor. In Golfito, there are hotels, restaurants, markets and gas stations.

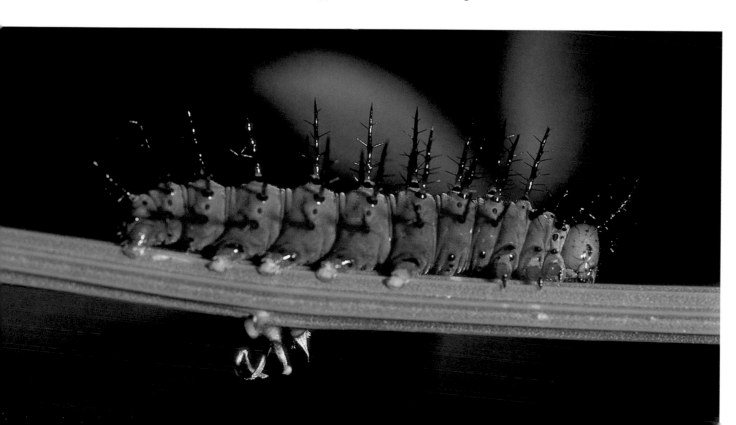

*B*ASTA ACERCARSE A LOS BOSQUES DEL PARQUE *para descubrir el desconocido mundo de los invertebrados. Arriba, una mariposa morpho, a la izquierda, una oruga.*

*I*T'S ENOUGH JUST TO PEEK *into the park forest to discover the unknown world of the invertebrates. Above, a morpho butterfly. On the left, a caterpillar.*

La Reserva Biológica de la Isla del Caño, tapizada por un denso bosque siempreverde cuyo dosel forestal se encuentra a gran altura, es también un importante sitio arqueológico en el que existe un antiguo cementerio precolombino.

Isla del Caño Biological Reserve besides being covered in thick evergreen forest with a very high forest canopy, is also an important archeological site with a pre-Columbian cemetery.

como árbol de la leche, a causa del látex blanco que exuda y que se puede beber. Aunque la fauna es escasa pueden observarse diversas aves como el águila pescadora *(Pandion haliaetus)* y el piquero pardo *(Sula leucogaster)*. Alrededor de la isla se encuentran cinco plataformas o bajos arrecifales.

REFUGIO NACIONAL DE FAUNA SILVESTRE GOLFITO

Es un área con una alta pluviosidad y una topografía irregular. El bosque es siempreverde, denso, de gran altura y está constituido por más de 400 especies de árboles y arbustos. El estrato emergente lo forman enormes árboles como el ajo *(Caryocar costaricense)*, el reseco *(Tachigali versicolor)*, el nazareno *(Peltogyne purpurea)*, el pilón *(Hyeronima alchorneoides)* y el vaco *(Brosimum utile)*. Una palma bastante común es la chonta *(Astrocaryum standleyanum)*. En el sotobosque son abundantes las heliconias o platanillas del género *Heliconia*, de flores amarillas, rojas o anaranjadas. Entre los mamíferos aquí presentes se encuentran el manigordo *(Leopardus pardalis)*, el pizote *(Nasua narica)*, el saíno *(Tayassu tajacu)*, la guatuza *(Dasyprocta punctata)*, la rata algodonera *(Sigmodon hispidus)* y el mapachín *(Procyon lotor)*. Todavía muy poco conocida biológicamente, esta área protegida tiene una particular importancia para la conservación de las aguas que surten a la cercana ciudad de Golfito.

El refugio se encuentra al este del golfo Dulce, en la vecindad del puerto de Golfito. Su acceso se hace por vía aérea hasta Golfito, donde existe una pista de aterrizaje o siguiendo la ruta San José-Golfito (339 km), por carretera pavimentada. El refugio tiene un camino lastrado que llega hasta un mirador ubicado en su parte más alta. Existe un servicio de autobuses San José-Golfito; en esta ciudad hay hoteles, restaurantes y mercados y se pueden alquilar taxis.

RESERVA BIOLÓGICA ISLA DEL CAÑO

Está formada por un bloque de basaltos eocénicos de 50-60 millones de años de antigüedad que se ha levantado a causa de la subducción o hundimiento de la placa de Cocos debajo de la placa del Caribe, a lo largo de la fosa Mesoamericana. La isla tiene una gran significación arqueológica ya que fue utilizada como cementerio y como asentamiento precolombino permanente. Todavía es posible observar restos de cerámica y algunas esferas de piedra hechas por los indígenas. La altiplanicie central, de unos 90 m de altitud, está cubierta por un bosque siempreverde de gran altura, constituido básicamente por enormes árboles de vaco *(Brosimum utile)*, también conocido

ISLA DEL CAÑO BIOLOGICAL RESERVE

IT IS FORMED BY A BLOCK of Eocene basalts, 50-60 million years old that rose up due to subduction or the collapse of the Cocos Plate under the Caribbean Plate along the Central American Trench. The island has great archeological significance as it was used as a cemetery and a permanent pre-Columbian settlement. It is still possible to observe the remains of pottery and some almost perfectly round stone spheres made by the Indians. The central 90 m-high plateau is covered in a very tall evergreen forest, basically consisting of enormous cow trees *(Brosimum utile)*, also known as the milk tree because of the white latex it exudes and which can be drunk. Although animals are scarce, several birds such as the osprey *(Pandion haliaetus)* and the brown booby *(Sula leucogaster)* can be observed. Around the island there are five platforms or low coral reefs.

GOLFITO NATIONAL WILDLIFE REFUGE

IT IS AN AREA WITH HIGH RAINFALL and irregular topography. The forest is evergreen, dense, very high and made up of over 400 species of trees and bushes. The emergent layer consists of enormous trees like butternut *(Caryocar costaricense)*, plomo tree *(Tachigali versicolor)*, purpleheart *(Peltogyne purpurea)*, bully tree *(Hyeronima alchorneoides)* and cow tree *(Brosimum utile)*. A fairly common palm is the black palm *(Astrocaryum standleyanum)*. In the undergrowth, there are a great many heliconias (of the genus *Heliconia)* with yellow, red or orange flowers.

Among the mammals found there are ocelot *(Leopardus pardalis)*, white-nosed coati *(Nasua narica)*, collared peccary *(Tayassu tajacu)*, agouti *(Dasyprocta punctata)*, hispid cotton rat *(Sigmodon hispidus)* and common raccoon *(Procyon lotor)*.

Still little known in biological terms, this protected area is particularly important for the conservation of the waters that supply the nearby city of Golfito.

The refuge is in the east of Dulce Gulf, near the port of Golfito. Access is by air to Golfito landing strip or along the asphalted road connecting San José to Golfito (339 km). The refuge has a grit road that goes as far as a look-out point situated at the highest point in the reserve. Bus services operate between San José and Golfito. In Golfito there are hotels, restaurants, markets and taxis for hire.

El Refugio Nacional de Vida Silvestre Golfito se caracteriza por su topografía irregular, una alta pluviosidad y un bosque de gran altura constituido por más de 400 especies de árboles y arbustos en el que destaca su variedad de helechos arborescentes.

Golfito National Wildlife Refuge features irregular terrain, high rainfall and a tall forest consisting of over 400 species of trees and shrubs, including an outstanding variety of tree ferns.

ARRIBA, UN EJEMPLAR DE CEIBA y, a la derecha, el bosque siempreverde, ambos en el Refugio Nacional de Vida Silvestre Golfito.

ABOVE, A SILK COTTON TREE and, on the right, evergreen forest, both in Golfito National Wildlife Refuge.

HUMEDAL NACIONAL TERRABA-SIERPE

CONSTITUYE EL DELTA DE LOS RÍOS Terraba y Sierpe y es el manglar más extenso del país. La especie de mangle más abundante es el rojo *(Rhizophora mangle)*, aunque también se encuentran el piñuela *(Pelliciera rhizophorae)* y el negro *(Avicennia germinans* y *A. bicolor)*. En este manglar existe una intrincada red de canales e isletas de gran belleza escénica que permiten, desde un bote, observar la gran diversidad de aves, particularmente pelícanos *(Pelecanus occidentalis)*, cormoranes *(Phalacrocorax brasilianus)*, garzas y garcetas. Se encuentra al norte de la península de Osa; para visitarlo se pueden contratar botes en Sierpe. Este manglar está incorporado a la Lista de Humedales de Importancia Internacional de Ramsar.

RESERVA FORESTAL GOLFO DULCE

ACTUALMENTE LOS BOSQUES de esta reserva se encuentran fragmentados a causa de una sobreexplotación maderera; las especies de árboles más abundantes son el fruta dorada *(Virola koschnyi)*, el nazareno *(Peltogyne purpurea)* –una especie con madera de bellísimo color morado– y el camíbar *(Copaifera camibar)*, cuya savia conocida como aceite de camíbar es utilizada en medicina popular para sanar heridas. Esta área constituye un corredor biológico que comunica el Parque Nacional Corcovado con el Parque Nacional Piedras Blancas. La carretera Chacarita-Puerto Jiménez atraviesa una gran parte de esta reserva.

HUMEDAL LACUSTRINO PEJEPERRO-PEJEPERRITO

CONSISTE EN DOS LAGUNAS COSTERAS permanentes, separadas parcialmente del mar por franjas de arena; son de gran belleza escénica, aunque han sufrido alteraciones. La laguna Pejeperro es más bien un estero que tiene un manglar y un bosque inundado en su parte norte. Pejeperrito es la única laguna de agua salada existente en el país, que sirve de hábitat al cocodrilo *(Crocodilus acutus)*, al caimán *(Caiman crocodilus)* y a varias especies de garzas y de tortugas de río. Ambas lagunas se encuentran a 38 km de Puerto Jiménez, por camino de tierra.

REFUGIO NACIONAL DE VIDA SILVESTRE PUNTA RÍO CLARO

LOS BOSQUES HÚMEDOS de este refugio constituyen un corredor biológico entre el Parque Nacional Corcovado y el Humedal Nacional Terraba-Sierpe. Algunos de los árboles más sobresalientes de esta área son el espavel *(Anacardium excelsum)*, el guayabón *(Terminalia oblonga)*, el ajo *(Caryocar costaricense)* y el lechoso *(Brosimum utile)*. Las lapas rojas *(Ara macao)* son comunes en este refugio, al igual que las cuatro especies de monos que hay en el país: congo *(Alouatta palliata)*, colorado *(Ateles geoffroyi)*, carablanca *(Cebus capucinus)* y tití *(Saimiri oerstedii)* –este último en peligro de extinción.

TERRABA-SIERPE NATIONAL WETLAND

THIS AREA COMPRISES THE DELTA of the rivers Terraba and Sierpe and is the most extensive mangrove swamp in the country. The most abundant mangrove species is the red (Rhizophora mangle) although tea (Pelliciera rhizophorae) and black (Avicennia germinans and A. bicolor) also occur. In this mangrove swamp there is an intricate network of very beautiful channels and islets, and from a boat it is possible to see a great variety of birds, especially pelicans (Pelecanus occidentalis), olivaceous cormorant (Phalacrocorax brasilianus), herons and egrets. It is in the north of the Osa Peninsula. To visit it, boats can be hired in Sierpe. This mangrove swamp is included on the Ramsar List of Wetlands of International Importance.

GOLFO DULCE FOREST RESERVE

NOWADAYS, THE FORESTS IN THIS RESERVE are fragmented due to overexplotaition for timber. The most numerous tree species are banak (Virola koschnyi), purpleheart (Peltogyne purpurea) - a species with extremely beautiful purple wood - and

camibar (Copaifera camibar), the sap of which is known as camibar oil and is used in popular medicine to cure wounds. This area is a biological corridor connecting Corcovado National Park with Piedras Blancas National Park. The Chacarita to Puerto Jiménez highway crosses a large part of this reserve.

PEJEPERRO-PEJEPERRITO LACUSTRINE WETLAND

IT CONSISTS OF TWO PERMANENT coastal lagoons partially separated from the sea by strips of sand. They are very beautiful despite having undergone some alterations. Pejeperro Lagoon is really a lagoon with a mangrove swamp and a flooded forest in the northern part. Pejeperrito is the only saltwater lagoon in the country, which serves as habitat for the crocodile (Crocodilus acutus), the cayman (Caiman crocodilus) and several species of herons and river turtles. They are 38 km from Puerto Jiménez along a dirt road.

PUNTA RÍO CLARO
NATIONAL WILDLIFE REFUGE

THE MOIST FORESTS of this refuge form a biological corridor between Corcovado National Park and Terraba-Sierpe National Wetland. The most outstanding trees in this area include the espavel (Anacardium excelsum), guayabón (Terminalia oblonga), ajo (Caryocar costaricense), and South American milk tree (Brosimum utile). Red macaws (Ara macao) are common in this refuge, as are the four species of monkeys found in Costa Rica; namely, mantled howler monkey (Alouatta palliata), black-handed spider monkey (Ateles geoffroyi), white-throated capuchin (Cebus capucinus) and Central American squirrel monkey (Saimiri oerstedii), the latter being an endangered species.

ARRIBA, INTERIOR DEL BOSQUE de la isla del Caño y, a la izquierda, una jacana centroamericana que mantiene una población estable en Terraba-Sierpe.

ABOVE, THE INTERIOR OF THE FOREST on Caño Island and, on the left, a northern jacana, which occurs in a stable population in this protected area of Terraba-Sierpe.

161

PACÍFICO CENTRAL

DOS IMPORTANTES parques nacionales se encuentran en esta área de conservación. Se trata de los parques nacionales de Manuel Antonio y Carara. Del primero observamos una puesta de sol desde sus playas y, del segundo, el paso del río Tárcoles por su territorio. Abajo, el amenazado cocodrilo.

TWO IMPORTANT national parks occur in this conservation area. They are Manuel Antonio and Carara national parks. One photo shows sunset from the beaches of Manuel Antonio while the other illustrates the Tárcoles River flowing through Carara. Below, the threatened alligator.

En el Parque Nacional Carara se concentra un gran número de aves acuáticas, como las espátulas rosadas y los suiriríes. Abajo, la choreja o lirio de agua.

In Carara National Park there are a large number of aquatic birds such as roseate spoonbill and whistling-ducks. Below, water hyacinth.

PARQUE NACIONAL CARARA

y cuya población se estima en más de 2.000 ejemplares, la más alta del país– y de aves acuáticas, como las espátulas rosadas *(Ajaia ajaja)*, los patos aguja *(Anhinga anhinga)* y las jacanas centroamericanas *(Jacana spinosa)*. Los cocodrilos son también abundantes y fáciles de observar en el río Grande de Tárcoles.

Los bosques primarios ocupan la mayor parte del parque. Lomas Pizote y Montañas Jamaica son dos áreas representativas de este hábitat, con pendientes de un 20% a un 60%, muy lluviosas, con diferentes estratos y con una gran abundancia de lianas y epifitas. Los bosques de galería que se encuentran en las márgenes de los ríos son altos, densos, diversos en especies de árboles con predominancia del espavel *(Anacardium excelsum)*, el ojoche *(Brosimum alicastrum)* y el javillo *(Hura crepitans)*, cuyo látex es muy cáustico. En el sotobosque es abundante el cafecillo *(Erythrochiton gymnanthus)*, un arbusto del área del Pacífico central del país. Muchos de los árboles presentan gambas o contrafuertes. Los bosques secundarios se localizan sobre los terrenos que se dedicaron antiguamente a actividades agropecuarias. Carara constituye el límite de distribución más septentrional para varias especies de árboles como el nazareno *(Peltogyne purpurea)*, el ajillo *(Caryocar costaricense)* y el vaco *(Brosimum utile)*.

Además de la abundancia de fauna acuática concentrada en la laguna y las ciénagas, existe una variada fauna entre la que se encuentra el precario perezoso de dos dedos *(Choloepus hoffmanni)* y la escasa lapa roja *(Ara macao)*, prácticamente desaparecida del resto del Pacífico Seco. En Lomas Entierro se

POR TRATARSE DE UNA ZONA DE TRANSICIÓN entre una región más seca al norte, y otra más húmeda al sur, Carara presenta una amplia diversidad florística con más de 1.400 especies de plantas y con predominio de especies siempreverdes. Cruzada por diversos arroyos, en su mayoría de aguas permanentes, el parque se presenta durante la estación seca como un oasis de frescura y de verdor.

Al noreste del parque, las inundaciones estacionales del río Grande de Tárcoles forman numerosas ciénagas muy ricas en aves zancudas y vadeadoras, así como en anfibios y reptiles. Una laguna en forma de U, de unos 600 m de longitud, 40 m de ancho y 2 m de profundidad, ocupa un meandro abandonado por este río; esta laguna se encuentra prácticamente cubierta de choreja o lirio de agua *(Eichhornia crassipes)* y de otras plantas acuáticas flotantes. En este ambiente son abundantes diversas especies de anfibios y reptiles –como los cocodrilos *(Crocodylus acutus)*, que pueden alcanzar más de 4 m de largo

CARARA NATIONAL PARK

S IT IS A TRANSITION ZONE between a drier region to the north and a wetter one to the south, Carara presents a wide diversity of plantlife with over 1,400 plant species and with a predominance of evergreen species. Crossed by diverse streams mostly with permanent waters, in the dry season the park is an oasis of freshness and greenery.

Northeast of the park the seasonal flooding of the River Grande de Tárcoles forms numerous swamps that are very rich in wading birds, as well as amphibians and reptiles. A U-shaped lagoon some 600 m long, 40 m wide and 2 m deep occupies an oxbow lake left by this river. This lagoon is almost totally covered in water hyacinths (Eichhornia crassipes) and other floating aquatic plants. In this environment, there are large number of several species of amphibians and reptiles such as crocodiles (Crocodylus acutus), which may reach 4 m long and whose population is estimated at over 2,000 individuals, the highest in the country, and water birds like roseate spoonbills (Ajaia ajaja), anhingas (Anhinga anhinga) and northern jacanas (Jacana spinosa). It is also easy to see crocodiles in the River Grande de Tárcoles.

Primary forests occupy most of the park. Lomas Pizote and the Jamaica Mountains are representative of this habitat, with 20-60% slopes, and different storeys, very wet, and a great many lianas and epiphytes. The gallery forests at the edges of the rivers are tall, dense and diverse in tree species with a predominance of espavel (Anacardium excelsum), ojoche (Brosimum alicastrum) and possum-wood (Hura crepitans), which

has very caustic latex. In the undergrowth there is abundant 'cafecillo' (Erythrochiton gymnanthus), a shrub from the Central Pacific part of the country. Many of the trees have buttresses. The secondary forests grow on land that was previously used for arable and livestock agriculture. Carara represents the most northerly distribution limit of several tree species such as purpleheart (Peltogyne purpurea), butternut tree (Caryocar costaricense) and the cow tree (Brosimum utile).

Besides the abundant aquatic fauna in the lagoon and the swamps, there is varied animal life, including the rare two-toed sloth (Choloepus hoffmanni) and the uncommon scarlet macaw (Ara macao), which has practically disappeared from

LOS BOSQUES PRIMARIOS SIEMPREVERDES del Parque Nacional Carara (arriba) ocupan la mayor parte de su superficie. Abajo, un garrobo, reptil muy común en el área protegida.

THE EVERGREEN PRIMARY FOREST of Carara National Park (above) covers most of the surface area. Below, an ctenosaur, a very common reptile in the protected area.

LOS COCODRILOS, QUE PUEDEN ALCANZAR MÁS DE CUATRO metros de longitud, tienen en el Parque Nacional Carara la población con mayor número de ejemplares de Costa Rica. A la derecha, una vista general de este parque nacional.

COSTA RICA'S LARGEST POPULATION of crocodiles, which may grow to over four meters long, is found in Carara National Park. On the right, a general view of this national park.

LA LAGUNA DE CARARA (arriba), que ocupa un meandro abandonado, es el punto de reunión de numerosas aves acuáticas, anfibios y reptiles.
En Carara vive una población estable del amenazado guacamayo macao o lapa roja.

CARARA LAGOON (above), which occupies an abandoned meander, is a meeting point for water birds, amphibians and reptiles. Carara hosts a stable population of the threatened scarlet macaw.

excavó un cementerio indígena y en el resto del parque se han ubicado otros 14 sitios arqueológicos.

Carara se localiza en la llanura del Pacífico Central. A la administración, que se encuentra 2 km al sur del puente sobre el río Grande de Tárcoles, se llega desde San José vía Orotina-Costanera Sur (91 km), por carretera pavimentada. Existen tres senderos, Las Aráceas, El Pizote y Laguna Meándrica. En el área administrativa hay una zona para almorzar con mesas, lavabos y agua potable. Existe un servicio de autobuses San José-Orotina-Quepos, que se detienen frente a la administración. En Orotina y en las cercanías del parque, a lo largo de la carretera Costanera Sur, se localizan hoteles, restaurantes y pulperías. Para más información llamar al Telf.: (506) 416-7161, (506) 416-7402; fax: (506) 416-5017; o al móvil del parque: (506) 383-9953; e-mail: acopac@go.cr

the rest of the Dry Pacific. In Lomas Entierro a native cemetery was excavated, and in the rest of the park a further 14 sites have been located.

Carara is situated on the Central Pacific plain. Access to the offices 2 km south of the bridge over the River Grande de Tárcoles is from San José via Orotina and Costanera Sur (91 km) along an asphalted road. There are three paths: Las Aráceas, El Pizote and Laguna Meándrica. In the administrative zone there is a picnic area with tables, toilets and drinking water. A bus service runs between San José-Orotina-Quepos with a stop in front of the offices. In Orotina and the area near the park along the Costanera Sur highway, there are hotels, restaurants and grocery shops. For further information, call Tel.: (506) 416-7161, (506) 416-7402; fax: (506) 416-5017; or call the park mobile (506) 383-9953; e-mail: acopac@go.cr

En el Parque Nacional Carara, una laguna en forma de U de dos metros de profundidad y una longitud de unos 600 metros (abajo) ocupa un extenso meandro abandonado del río Grande de Tárcoles.
A la izquierda, uno de los gigantes del bosque de Carara.

In Carara National Park a U-shaped oxbow lake two meters deep and about 600 meters long (below) covers an extensive old meander of the River Grande de Tárcoles. Left, one of the giants of Carara's forests.

Parque Nacional
Manuel Antonio

El águila pescadora es uno de los predadores que habitualmente se encuentra en el litoral pacífico de este parque nacional.

The osprey is a common predator along the Pacific coast of this national park.

Es una de las áreas de mayor belleza escénica del país. En este parque se distinguen cuatro unidades geomorfológicas de gran interés: el primero es el tómbolo de Punta Catedral, la unión que forma la arena entre la punta y el continente, debido a la sedimentación que, detrás de ella, provoca la difracción de las olas al chocar con el saliente; aquí se encuentran las playas Espadilla Sur y Manuel Antonio, de arenas blancas, pendientes suaves y aguas claras con escaso oleaje. La segunda unidad es el hoyo soplador de Puerto Escondido, que se puede apreciar cuando está subiendo la marea. La tercera es la Punta Serrucho, formidable acantilado de superficie muy irregular que recuerda a un serrucho. La cuarta es la trampa submarina

MANUEL ANTONIO NATIONAL PARK

THIS IS ONE OF THE MOST BEAUTIFUL AREAS in the country. In this park, four very interesting geomorphological units can be distinguished. The first is the tombolo of Punta Catedral; in other words, the sand between the point and the mainland formed by sedimentation which, behind the point, defracts the waves as they break against it; the white sand beaches, known as Espadilla Sur Beach and Manuel Antonio Beach, have white sands, gentle slopes and clear waters with little wave action. The second unit is the Puerto Escondido blow hole, which is visible when the tide is rising. The third is Serrucho Point, an aweseome cliff with a very rough surface reminiscent of a saw. The fourth is the underwater turtle trap

ESTAS ROCAS EROSIONADAS por la fuerza de las olas marinas marcan el límite occidental de la recogida playa de Manuel Antonio.

THESE ROCKS, ERODED BY THE FORCE of the waves, mark the western boundary of Manuel Antonio Beach .

En esta vista aérea se observa, *en primer plano, Punta Catedral, unida a tierra firme por un tómbolo. Detrás, la playa de Manuel Antonio, conocida también como Playa Blanca y, al fondo, la paya Espadilla Sur.*

In the foreground of this aerial view is Punta Catedral, linked to the mainland by a tombolo. Behind, Manuel Antonio Beach, also known as Playa Blanca and, in the background, Espadilla Sur Beach.

para tortugas, de origen precolombino, localizada en el extremo oeste de la playa Manuel Antonio.

Los principales hábitats del parque son el bosque primario, que alberga árboles como el guapinol negro *(Cynometra hemitomophylla)*, especie maderable endémica de Costa Rica y amenazada de extinción, y el María *(Calophyllum brasiliense)*; el bosque secundario, con especies como la balsa *(Ochroma pyramidale)* y el guácimo *(Guazuma ulmifolia)*; el manglar, y las lagunas herbáceas y las de agua libre, que cubren pequeñas áreas en el interior. En la playa crecen árboles como el venenoso manzanillo *(Hippomane mancinella)* y el cocotero *(Cocos nucifera)*. En total, en el parque se han identificado 350 especies de plantas vasculares.

La fauna es variada; se han observado 109 especies de mamíferos y 184 de aves. Un mamífero de gran interés por su reducido rango de distribución y que está amenazado de extinción es el bello y gracioso mono ardilla *(Saimiri oerstedii citrinellus)*, endémico de Costa Rica. Con frecuencia se pueden observar otros mamíferos como los perezosos de dos dedos *(Choloepus hoffmani)* y de tres dedos *(Bradypus variegatus)*, el mapachín

of pre-Columbian origin located at the western end of Manuel Antonio Beach.

The main habitats in the park are: primary forest containing trees like the black locust *(Cynometra hemitomophylla)*, a commercial species endemic to Costa Rica and threatened with extinction, and the Santa María *(Calophyllum brasiliense)*; secondary forest with species such as the balsa *(Ochroma pyramidale)* and the bastard cedar *(Guazuma ulmifolia)*; mangrove swamp and herbaceous lagoons and small lagoons in the interior. On the beach, there are trees like manchineel *(Hippomane mancinella)* and the coconut palm *(Cocos nucifera)*. In total, 350 species of vascular plants have been identified in the park.

The wildlife is varied; 109 mammal species and 184 bird species have been observed. One mammal that is very interesting for its small distribution range and the fact that it is threatened with extinction is the delightful and amusing squirrel monkey *(Saimiri oerstedii citrinellus)*, endemic to Costa Rica. Other animals like the sloths *Cholocpus hoffmani* and *Bradypus variegatus* can often be seen. Crab-eating raccoons

Eₙ ₑₗ ₗᵢₜₒᵣₐₗ ₍₎ₑₗ ₚₐᵣ₍₎ᵤₑ Nₐ꜀ᵢₒₙₐₗ Manuel Antonio se entremezclan las bellas playas de arena con acantilados de superficie irregular batidos por el oleaje del mar, rodeados de escollos y de cuevas marinas.

Aₗₒₙ₉ ₜₕₑ ꜀ₒₐₛₜₗᵢₙₑ ₒբ Mₐₙᵤₑₗ Aₙₜₒₙᵢₒ National Park there are lovely sandy beaches intermingled with unevenly shaped cliffs beaten by the waves, studded with reefs and caves.

173

lo). Dentro del parque existen los senderos Principal, Punta Catedral, Puerto Escondido, Mirador y La Trampa, y hay dos áreas para almorzar –donde se han encontrado restos arqueológicos– en las playas Espadilla Sur y Manuel Antonio con mesas, lavabos y duchas y agua potable. Existen servicios de autobuses y taxis Quepos-Manuel Antonio. En Quepos y en los alrededores del parque existen hoteles, restaurantes, mercados, tiendas de recuerdos y campamentos privados.

Para más información, Telf.: (506) 777-0644, 777-0654; e-mail: osrap@minae.go.cr

En el área protegida los bandos de monos carablanca son muy abundantes. Se han acostumbrado a los visitantes y no dudan en acercarse a ellos para intentar arrebatarles los restos de comida.

Groups of white-throated capuchin monkeys are very common in the protected area. Being used to visitors, they try to sneak up and snatch food.

cangrejero *(Procyon cancrivorus)*, la ardilla roja *(Sciurus granatensis)* y el mono carablanca *(Cebus capucinus)*, frecuentemente deambulando por las áreas para almorzar. Algunas de las aves presentes son el pelícano alcatraz *(Pelecanus occidentalis)*, el gavilán pescador *(Busarellus nigricollis)* y el arasarí piquinaranja *(Pteroglossus frantzii)*. Desde las playas es fácil observar garrobos *(Ctenosaura similis)* y cherepos *(Basiliscus* sp.).

Manuel Antonio se encuentra en la llanura del Pacífico Central. La administración se localiza 7 km al sur de Quepos, por carretera pavimentada (al parque no se puede acceder en vehícu-

(*Procyon cancrivorus*), tree squirrels (*Sciurus granatensis*) and white-faced monkeys (*Cebus capucinus*) often appear in the picnic areas. Some of the birds found there are: brown pelican (*Pelecanus occidentalis*), black-collared hawk (*Busarellus nigricollis*) and fiery-billed aracari (*Pteroglossus frantzii*). From the beaches it is easy to see ctenosaurs (*Ctenosaura similis*) and basilisks (*Basiliscus* sp.).

Manuel Antonio is located on the Central Pacific plain. The offices are 7 km south of Quepos on an asphalted road (vehicles are not allowed in the park). The following trails can be taken in the park: Principal, Punta Catedral, Puerto Escondido, Mirador and La Trampa. There are also two picnic areas, where archeological remains have been found, on Espadilla Sur Beach and Manuel Antonio Beach, with tables, washbasins, showers and drinking water. Bus services and taxis operate between Quepos-Manuel Antonio. In Quepos and the park environs there are hotels, restaurants, markets, souvenir shops and private camping sites. For all information, Tel.: (506) 777-0644, 777-0654; e-mail: osrap@minae.go.cr

LA GUATUSA O AGUTÍ (abajo) es un mamífero de costumbres diurnas por lo que resulta relativamente sencillo verle en el parque nacional. A la izquierda, la playa de Manuel Antonio, siempre muy visitada.

THE AGOUTI (BELOW) IS A MAMMAL of diurnal habits and so is fairly easy to spot in the national park. On the left, the much-frequented Manuel Antonio Beach.

Las playas Espadilla Sur (arriba) y Manuel Antonio (abajo) rodean el tómbolo de Punta Catedral. Arriba, un playero, limícolo muy frecuente en estos arenales.

Espadilla Sur Beach (above) and Manuel Antonio Beach (below) surround the tombolo at Punta Catedral. Above, a willet, a very common wader on these stretches of sand.

PARQUE NACIONAL
LA CANGREJA

*El SENDERO PLINIA, que recorre la parte inferior
del Parque Nacional La Cangreja –menos escarpada
que la superior– cruza la Quebrada Grande
en la que se forman numerosas cascadas.*

*THE PLINIA TRAIL that runs along the lower
part of La Cangreja National Park (less steep
than the upper part) crosses La Quebrada Grande
where it forms many waterfalls.*

"**L**A CANGREJA ES UNA MONTAÑA SINIESTRA que domina mi finca. La forma de la cumbre rocosa recuerda vagamente el dibujo de un cangrejo gigantesco; de ahí su nombre". Así se expresó sobre este cerro el francés Georges Vidal, allá por 1926, en su libro *Mi Mujer y Mi Monte*.

El cerro La Cangreja es bastante escarpado; al pie de su cumbre pelada de basalto que alcanza los 1.305 m de altura, se extiende el bosque primario intervenido hasta en un 65% de su extensión. Este bosque, después de varios estudios científicos ha resultado ser, con 148 especies de árboles, uno de los de mayor número de especies arbóreas por hectárea en todo el país, sólo superado por la Península de Osa. Algunos de los árboles que alcanzan mayor altura son el jicarillo (*Lecythis mesophylla*), una especie muy escasa con frutos en forma de olla, el nazareno (*Peltogyne purpurea*), de madera color púrpura, el cedro maría (*Calophyllum longifolium*), con savia verde amarillenta, el higuerón (*Ficus obtusifolia*), con savia blanca, el cerillo (*Symphonia globulifera*), que presenta raíces fúlcreas producidas en la base del tronco, la ceiba (*Ceiba pentandra*), que alcanza hasta 60 m de altura, y el cara de tigre (*Aspidosperma myristicifolium*), con atractivo tronco acanalado-entrelazado. El mayo (*Vochysia megalophylla*), árbol de mediano tamaño y de flores amarillas, es una de las especies más abundantes de este bosque.

En el sotobosque son comunes la palma *Asterogyne martiana*, que se usa para techar ranchos, la zarzaparrilla (*Smilax* spp.), cuyas raíces se utilizan en refrescos y medicamentos naturales, las doradillas (*Selaginella* spp.), con bellas hojas semejantes a un encaje, el helecho macho (*Pteridium* spp.), que cubre amplias superficies en zonas semiabiertas, y varias especies de helechos arborescentes, incluyendo *Alsophila cuspidata*.

Pero La Cangreja es también notable por su alto grado de endemismo. Se han censado más de 30 especies de plantas endémicas, algunas de las cuales sólo se encuentran en este lugar en forma natural, tal es el caso de *Plinia puriscalensis*, árbol de pequeño tamaño que produce los frutos en el tronco y cuyo nombre fue dedicado al cantón de Puriscal, y *Ayenia mastatalensis*,

La Cangreja
National Park

'**L**a Cangreja is a sinister mountain overlooking my ranch. The shape of the rocky peak is vaguely reminiscent of the outline of a giant crab; hence its name'. Frenchman Georges Vidal described it in these terms around 1926 in his book *My Wife and My Mountain*.

La Cangreja hill is quite steep. Primary forest extends out from the foot of its bare 1,305m-high basalt peak, 65% of it disturbed. Following several scientific studies it has been shown to host 148 tree species, thus boasting one of the largest number of tree species per hectare of any place in the country, only exceeded by the Osa Peninsula. The taller trees include the 'jicarillo' *(Lecythis mesophylla)*, a very scarce species with pot-shaped fruits, the 'nazareno' or purpleheart *(Peltogyne purpurea)*, with purple-colored wood, Santa María *(Calophyllum longifolium)*, with yellowish green sap, the fig *Ficus obtusifolia*, with white sap, the manni or chewstick *(Symphonia globulifera)*, which has prop-like roots emerging from the base of the trunk, the silk-cotton tree *(Ceiba pentandra)*, which grows to 60 m high, and the 'cara de tigre' *(Aspidosperma myristicifolium)*, with an eye-catching furrowed and interlaced trunk. The 'mayo' *(Vochysia megalophylla)*, a medium-sized tree with yellow flowers, is one of the most common species in this forest.

In the undergrowth, the following are common: the palm *Asterogyne martiana*, used for roofing ranches, sasaparilla *(Smilax* sp.), whose roots are used in soft drinks and natural medicines, 'doradillas' *(Selaginella* spp.), with lovely lace-like leaves, ferns *(Pteridium* spp.), which cover broad areas of partially open land,

and several species of tree ferns, including *Alsophila cuspidata*. But La Cangreja is also noteworthy for its high level of endemicity. Over 30 endemic plant species have been recorded. In some cases it is the only place where some of these plants occur naturally. *Plinia puriscalensis,* for example, is a small tree that produces fruits on its trunk and whose specific name is derived from the Puriscal 'canton'. *Ayenia mastatalensis,* a 1- to 2-meter-high shrub, is named after Mastatal, the nearest village to the national park. Other endemic species in the area are *Platymiscium curuense*, which produces the wood known as Cristóbal, *Ardisia pittieri*, with its bittersweet fruits, the palm *Chryosophila grayumi* and *Caryodaphnopsis burgeri*, a very scarce tree regarded as a

*D*EBIDO A LAS PEQUEÑAS DIMENSIONES *de esta área protegida, que en cierta manera la convierten en una isla ecológica, la fauna no es muy variada. Entre los mamíferos se localiza el armadillo.*

*T*O A CERTAIN EXTENT THE SMALL SIZE *of this protected area, makes it an ecological island and means that the wildlife is not very varied. Armadillo is one of the mammals.*

Desde lejos la silueta del parque nacional (abajo) recuerda vagamente el dibujo de un cangrejo gigantesco, de ahí su nombre. Arriba, otra de las numerosas cascadas que salpican el bosque del parque.

From far away the outline of the national park (below) is vaguely reminiscent of a huge crab, hence its name. Above, another of the many waterfalls that stud the park's forest.

arbusto de 1 a 2 m cuyo nombre fue dedicado a Mastatal, el poblado más cercano al parque nacional. Otras especies endémicas presentes en el área son *Platymiscium curuense*, que produce la madera denominada Cristóbal, *Ardisia pittieri*, con frutos rojos agridulces, *Chryosophila grayumi*, una palma, y *Caryodaphnopsis burgeri*, árbol muy escaso considerado como una rareza botánica. Dentro de las razones planteadas por los investigadores para la creación de este parque nacional se encuentran el ser considerado como un paraíso del endemismo, la existencia en su interior de más de 2.000 especies de plantas, y por representar un área idónea para estudios de dinámica forestal.

La fauna es poco conspicua, debido al impacto del ser humano y al pequeño tamaño del área protegida. Algunas de las especies visibles de mamíferos son el mono carablanca (*Cebus capucinus*), el mapache u osito lavador (*Procyon lotor*), que tiene la costumbre de lavar sus alimentos, el pizote (*Nasua narica*), la chiza (*Sciurus variegatoides*), la ardilla más común del país, el perezoso de dos garras (*Choloepus hoffmanni*) y el armadillo (*Dasypus novemcinctus*), cubierto con un caparazón de ocho a once bandas. Algunas de las muchas especies de aves presentes son el tinamú oliváceo o gallina de monte (*Tinamus major*), que camina por el piso del bosque, el campanero tricarunculado o pájaro campana (*Procnias tricarunculata*), el arasarí piquinaranja o cusingo (*Pteroglossus frantzii*), de atractivo pico de color anaranjado, el guacamayo macao o lapa roja (*Ara macao*), que utiliza el parque como corredor biológico, y el búho corniblanco (*Lophostrix cristata*), de gran tamaño y con una especie de cachos muy largos.

Otras especies de animales presentes son la rana venenosa verdinegra (*Dendrobates auratus*), la serpiente terciopelo (*Bothrops asper*), responsable de más de la mitad de los accidentes ofídicos en el país, la serpiente de coral (*Micrurus nigrocinctus*), la boa (*Boa constrictor*), especie que se extiende desde México hasta Argentina, y la mariposa morfo azul (*Morpho peleides*), que es muy abundante en las partes bajas y bordes de los ríos y quebradas. El parque además protege los nacientes de numerosas fuentes de agua, entre ellas las que dan origen al río Negro y a la Quebrada Grande.

Actualmente es posible visitar el bosque de la parte baja del parque, siguiendo el sendero Plinia, de 1,8 km de largo, construido e interpretado por la Fundación Ecotrópica con sede en el cantón de Puriscal. Este camino atraviesa la Quebrada Grande, que cuenta con atractivas cascadas, aguas muy limpias con pececillos y camaroncillos y pozas para bañarse, y donde se pueden observar fósiles de conchas. Ecotrópica posee una propiedad de 170 ha dentro del parque y ayuda también a su protección. Esta área protegida limita también con la Reserva Indígena de Zapatón.

La Cangreja se localiza a 42 km al sureste de Puriscal, por carretera de lastre, siguiendo la antigua vía a Parrita y luego desviándose al este (hay señalización). En las cercanías se encuentra el pueblo de Mastatal, que cuenta con una pulpería, y en Puriscal existen hoteles, restaurantes, supermercados y gasolineras.

botanical rarity. The reasons given by researchers for setting up this national park include the fact that it is a paradise for endemic species, that it contains over 2,000 species of plants and is an ideal area for studying forest dynamics.

The wildlife is not very conspicuous due to the impact of people and the size of the protected area. Some of the visible species of mammals are the white-throated capuchin *(Cebus capucinus)*, raccoon *(Procyon lotor)*, which customarily washes its food, white-nosed coati *(Nasua narica)*, variegated squirrel *(Sciurus variegatoides)* – Costa Rica's most common squirrel –, two-toed sloth *(Choloepus hoffmanni)* and the armadillo *(Dasypus novemcinctus)* covered in its eight – or eleven-banded shell. Some of the many bird species present are the great tinamou *(Tinamus major)*, which walks over the forest floor, the three-wattled bellbird *(Procnias tricarunculata)*, fiery-billed aracari *(Pteroglossus frantzii)*, with its attractive orangey bill, the red macaw *(Ara macao)*, which uses the park as a biological corridor, and the large crested owl *(Lophostrix cristata)* with very long horn-like protruberances.

Other animals to be found here are the green or golden poison arrow frog *(Dendrobates auratus)*, fer-de-lance *(Bothrops asper)*, responsible for over half the accidents involving snakes in the country, the Central American coral snake *(Micrurus nigrocinctus)*, boa *(Boa constrictor)*, a species distributed from Mexico to Argentina, and the blue morpho *(Morpho peleides)*, which occurs in large numbers in the lowlands and along the edges of rivers and creeks. The park also protects the sources of countless water courses, including the most important – the River Negro and the Quebrada Grande.

It is now possible to visit the forest in the lowland part of the park along the 1.8-kilometer Plinia Trail, built and interpreted by the Fundación Ecotrópica whose HQ is in Puriscal *canton*. This trail crosses the Quebrada Grande, which has attractive falls, very clear water with little fish and shrimps and pools suitable for bathing, and where fossil shells can be seen. Ecotrópica owns 170 hectares of land within the park and also cooperates in its protection. This protected area borders the Zapatón Indian Reserve.

La Cangreja is located 42 km south-east of Puriscal along a dirt road following the old route to Parrita and then along a diversion eastwards (signposted). Nearby is the town of Mastatal, which has a grocery store, and in Puriscal there are hotels, restaurants, supermarkets and gas stations.

EL BOSQUE PRIMARIO del Parque Nacional La Cangreja posee hasta 148 especies diferentes de árboles por hectárea, lo que le convierte en una de las masas forestales más diversificadas del país.

THE PRIMARY FOREST IN La Cangreja National Park has 148 different tree species per hectare, making it one of the most diversified in the entire country.

En las numerosas zonas protegidas de esta área de conservación los invertebrados son muy abundantes, en particular los arácnidos, que presentan un gran número de especies.

In the many protected parts of this conservation area, there are large numbers of invertebrates, particularly arachnid species.

ZONA PROTECTORA TIVIVES

Está conformada por el manglar de Mata de Limón, el estero Tivives –en el que desemboca el río Jesús María–, el pequeño estero Las Flores y una ancha playa frente a la cual se han construido casas. La parte silvestre de esta zona protectora está formada esencialmente por los extensos manglares constituidos principalmente por el mangle rojo *(Rhizophora mangle)*, en el cual se pueden observar diversas especies de aves nidificando, como la garcilla bueyera *(Bubulcus ibis)*. Se accede por un camino en parte pavimentado y en parte lastrado que sale del puerto de Caldera.

ZONA PROTECTORA EL RODEO

Protege el último remanente de los bosques que otrora cubrían el Valle Central. La vegetación está conformada por bosques maduros poco alterados, bosques maduros alterados y bosques secundarios. Algunos de los árboles más grandes aquí presentes son el higuerón *(Ficus insipida)*, el guayabón *(Terminalia oblonga)* y el pochote *(Bombacopsis quinata)*. Algunas de las especies animales fáciles de observar por los visitantes son los monos carablanca *(Cebus capucinus)*, las ardillas *(Sciurus variegatoides)* y los armadillos *(Dasypus novemcinctus)*. El Rodeo se encuentra al lado del campus de la Universidad para la Paz; existe un sendero que recorre una buena parte de esta área protegida.

ZONA PROTECTORA CERROS DE ESCAZÚ

Conserva los últimos parches de bosque que quedan en estos cerros, particularmente en las laderas más inclinadas. La vegetación existente es típica de bosques de alturas intermedias, en los que se encuentran especies como los robles *(Quercus spp.)*. Las cuencas hidrográficas que aquí existen suministran el agua que usan los caseríos del piedemonte, incluyendo la ciudad de Escazú. Desde cualquier punto de esta zona protectora se puede observar todo el Valle Central. Algunos caminos de tierra que parten de San Antonio y otros pueblitos de Escazú permiten adentrarse un poco en esta zona protectora.

ZONA PROTECTORA CARAIGRES

Preserva el bosque que cubre la parte superior de los cerros Caraigres. El área es muy escarpada e importante por la gran cantidad de quebradas que allí nacen, afluentes del río Parrita.

TIVIVES PROTECTION ZONE

THIS CONSISTS OF THE MATA DE LIMÓN mangrove swamp, the Tivives Lagoon where the River Jesús María discharges, the small Las Flores Lagoon and a wide beach alongside which houses have been built. The wild part of this protection zone is mainly made up of extensive mangrove swamps comprising, above all, red mangrove *(Rhizophora mangle)* where several bird species nest, for example, cattle egret *(Bubulcus ibis)*. Access is via a partly asphalted and partly grit road leading from the port of Caldera.

EL RODEO PROTECTION ZONE

IT CONTAINS THE LAST REMNANT of forests that once covered the Central Valley. The vegetation consists of scarcely altered mature forest, altered mature forest and secondary forest. Some of the tallest trees there are wild fig *(Ficus insipida)*, 'guayabon' *(Terminalia oblonga)* and spiny cedar *(Bombacopsis quinata)*. It is easy for visitors to see white-faced capuchins *(Cebus capucinus)*, tree squirrels *(Sciurus variegatoides)* and armadillos *(Dasypus novemcinctus)*. El Rodeo is next to the Peace University campus. A path takes visitors over a large part of this protected area.

CERROS DE ESCAZÚ PROTECTION ZONE

IT PROTECTS THE LAST PATCHES of forest remaining in these hills, particularly in the steepest parts. The vegetation is typical of intermediate altitude forest where oaks *(Quercus* spp.) occur. The drainage basins here provide the water for the towns in the lowlands, including the city of Escazú. There are views of all the Central Valley from any point in this protection zone. Dirt roads from San Antonio and other small towns in Escazú allow visitors to go a little way into this protection zone.

CARAIGRES PROTECTION ZONE

IT PROTECTS THE FOREST covering the upper part of the Caraigres Hills. The area is very steep and important for the large number of streams that rise there. They are tributaries of the Parrita River. The forest remnants mainly consist of winter's bark tree *(Drymis granadensis)* and oaks *(Quercus* spp.). A few dirt tracks with asphalted sections and gritted sections lead from San Ignacio de Acosta a short way into the protection zone.

CERROS DE TURRUBARES PROTECTION ZONE

MOST OF THESE HILLS are covered in disturbed primary forests and secondary forests, which are especially important

El PIZOTE (ABAJO) ES UNA DE LAS ESPECIES de mamíferos que se ven más fácilmente en estas áreas de conservación. Arriba, las raíces aéreas de un árbol.

THE WHITE-NOSED COATI (BELOW) IS ONE of the mammal species that are easy to spot in these conservation areas. Above, the aerial roots of a tree.

Los remanentes de bosques están constituidos principalmente por el chilemuela *(Drymis granadensis)* y por robles *(Quercus spp.)*. Algunos caminos de tierra, en parte pavimentados y en parte lastrados, que se inician en San Ignacio de Acosta permiten adentrarse un poco en esta zona protectora.

ZONA PROTECTORA CERROS DE TURRUBARES

Lᴀ ᴍᴀʏᴏʀ ᴘᴀʀᴛᴇ ᴅᴇ ᴇsᴛᴏs ᴄᴇʀʀᴏs están cubiertos de bosques primarios intervenidos y de bosques secundarios, que son de particular importancia para la protección de cuencas hidrográficas. En las partes bajas crece el bosque seco, donde predomina el pochote *(Bombacopsis quinata)*, y en las partes intermedias se presentan el tirrá *(Ulmus mexicana)* y los robles *(Quercus* spp.). Algunos de los animales que viven en estos bosques son el zorro de cuatro ojos *(Philander opossum)*, la martilla *(Potos flavus)* y el puerco espín *(Coendou mexicanum)*. Un ave que se puede observar en esta área en las ramas más altas de los árboles es el impresionante zopilote rey *(Sarcoramphus papa)*. Una carretera en parte asfaltada y en parte lastrada, que se inicia en Orotina, llega hasta muy cerca de esta zona protectora.

REFUGIO NACIONAL DE VIDA SILVESTRE FERNANDO CASTRO CERVANTES

Aᴜɴϙᴜᴇ sᴜs ʙᴏsϙᴜᴇs sᴇᴄᴏs están muy alterados, este refugio sirve como corredor biológico entre la Reserva Biológica Carara y la Zona Protectora Cerro Turrubares. La recuperación de este refugio, cuyos suelos no tienen potencial agropecuario, es necesaria para hacer realidad el proyecto de un corredor biológico entre Carara y el complejo de La Amistad. En este refugio nidifica el guacamayo macao *(Ara macao)*. Algunos ca-

minos de tierra que parten de Tárcoles, en la carretera Orotina-Jacó, permiten adentrarse un poco en este refugio.

ZONA PROTECTORA CERRO NARA

Cᴏɴsᴛɪᴛᴜʏᴇ ᴇʟ ᴇxᴛʀᴇᴍᴏ ᴍás ᴏᴄᴄɪᴅᴇɴᴛᴀʟ del complejo de La Amistad y corresponde con la zona de vida bosque muy húmedo tropical. Debido a que esta área conserva sus bosques en muy buen estado, se planea su conexión con el Parque Nacional Manuel Antonio por medio de un corredor biológico. Algunos caminos de tierra que parten de Quepos permiten adentrarse un poco en esta zona protectora.

RESERVA FORESTAL LOS SANTOS

Sᴇ ʟᴏᴄᴀʟɪᴢᴀ ᴇɴ ᴜɴ áʀᴇᴀ de mucha pendiente, de alta precipitación y de gran importancia para la conservación de cuencas hidrográficas. Los bosques, que cubren la mayor parte de la reserva, pertenecen a las zonas de vida bosque pluvial premontano, bosque pluvial montano bajo y bosque pluvial montano. Algunas especies de fauna aquí presentes son el quetzal *(Pharomachrus mocinno)*, la pava negra *(Chamaepetes unicolor)*, el jaguar *(Panthera onca)*, el cabro de monte *(Mazama americana)* y la danta *(Tapirus bairdii)*. Varios caminos de tierra que parten de Santa María de Dota permiten adentrarse un poco en esta reserva.

ZONA PROTECTORA MONTES DE ORO

Pʀᴏᴛᴇɢᴇ ʟᴏs ʀᴇᴍᴀɴᴇɴᴛᴇs de bosques que cubren las cuencas de los ríos Jabonal, Ciruelas y Seco. Algunas de las especies de árboles que se observan aquí son el indio desnudo *(Bursera*

Esᴛᴏs ᴘᴀɴᴀʟᴇs sɪʟᴠᴇsᴛʀᴇs, con sus características celdillas hexagonales, pueden ser fácilmente observados en el interior de los bosques primarios.

Tʜᴇsᴇ ᴡɪʟᴅ ʜᴏɴᴇʏᴄᴏᴍʙs, with their characteristic hexagonal cells, can easily be spotted inside primary forest.

for the protection of drainage basins. In the lower reaches, where spiny cedar (*Bombacopsis quinata*) is predominant, dry forest occurs. In the intermediate parts there is elm (*Ulmus mexicana*) and oak (*Quercus* spp.). The animal life in these forests include four-eyed opossum (*Philander opossum*), kinkajou (*Potos flavus*) and porcupine (*Coendou mexicanum*). The impressive king vulture (*Sarcoramphus papa*) can be seen in the uppermost branches of the trees. A partly asphalted and part dirt road beginning in Orotina runs very close to this protected area.

FERNANDO CASTRO CERVANTES NATIONAL WILDLIFE REFUGE

ALTHOUGH ITS DRY FORESTS have been much disturbed, this refuge serves as a biological corridor between the Carara Biological Reserve and the Cerro Turrubares Protection Zone. This refuge, whose soils have no potential for agriculture, needs to be recovered in order to realise the project to create the biological corridor between Carara and La Amistad Complex. Scarlet macaw (*Ara macao*) nest in this refuge. A few dirt roads from Tárcoles on the Orotina-Jacó highway allow visitors a little way into this refuge.

CERRO NARA PROTECTION ZONE

THIS IS THE MOST WESTERLY END of the La Amistad complex and corresponds to the tropical wet forest life zone. Due to the fact that this area conserves its forests in very good condition, there are plans to join it up with Manuel Antonio National Park via a biological corridor. Dirt roads from Quepos allow visitors to go a short way into this protection zone.

LOS SANTOS FOREST RESERVE

IT IS SITUATED IN AN AREA that is very sloping, with high precipitation, and very important for drainage basin conservation. The forests that cover most of the reserve belong to the premontane rain forest, lower montane rain forest and montane rain forest life zones. The resplendent quetzal (*Pharomachrus mocinno*), black guan (*Chamaepetes unicolor*), jaguar (*Panthera onca*), red brocket deer (*Mazama americana*) and Baird's tapir (*Tapirus bairdii*) are found there. A few dirt roads from Santa María de Dota permit access a little way into this reserve.

MONTES DE ORO PROTECTION ZONE

IT PROTECTS FOREST REMNANTS covering the basins of the rivers Jabonal, Ciruelas and Seco. The gumbo-limbo (*Bursera simaruba*), May flower (*Tabebuia rosea*) and 'barrigon' (*Pseudobombax septenatum*) are a few of the tree species found there. A few dirt roads starting at Miramar allow visitors to go a little way into this protection zone.

FINCA BARÚ DEL PACÍFICO NATIONAL WILDLIFE REFUGE

IT CONSISTS OF A MANGROVE SWAMP, a beach and remnants of primary and secondary forests that border the River Barú to the south. In the mangrove swamp, crocodiles (*Crocodylus acutus*) and caymans (*Caiman crocodylus*) have been seen. There are a great many birds, such as egrets, boat-billed heron (*Cochlearius cochlearius*) – which are sometimes seen in groups of up to 50 individuals – and brown pelicans (*Pelecanus occidentalis*). On the beach, turtles such as leatherbacks (*Dermochelys*

El MONO CONGO, especie habitual en toda esta área de conservación, se desplaza con suma facilidad por los árboles utilizando también su cola prensil.

THE HOWLER MONKEY, a regular inhabitant throughout this conservation area, moves with consummate ease through the trees by using its prehensile tail.

185

simaruba), el roble de sabana *(Tabebuia rosea)* y el ceibo barrigón *(Pseudobombax septenatum)*. Algunos caminos de tierra que parten de Miramar permiten adentrarse un poco en esta zona protectora.

REFUGIO NACIONAL DE VIDA SILVESTRE FINCA BARÚ DEL PACÍFICO

ESTÁ FORMADO POR UN MANGLAR, una playa y remanentes de bosques primarios y secundarios, que limitan al sur con el río Barú. En el manglar se han visto cocodrilos *(Crocodylus acutus)* y caimanes *(Caiman crocodylus)* y son abundantes las aves,

En el Refugio Nacional de Vida Silvestre Barú, una finca situada en el Pacífico, es habitual la presencia de los pelícanos alcatraces.

In Barú National Wildlife Refuge, a ranch on the Pacific side, brown pelicans are a common sight.

como garzas, martinetes cucharones *(Cochlearius cochlearius)* –que se observan a veces en grupos hasta de 50 individuos– y pelícanos alcatraces *(Pelecanus occidentalis)*. En la playa desovan tortugas marinas, como la baula *(Dermochelys coriacea)* y la lora *(Lepidochelys olivacea)*. La carretera que comunica San Isidro de El General con Dominical sirve de acceso a este refugio.

REFUGIO NACIONAL DE VIDA SILVESTRE PORTALÓN

ESTÁ CONSTITUIDO POR UNA PLAYA con abundancia de tortugas, remanentes de bosques en serranías paralelas a la costa y un manglar que se junta con otro muy extenso localizado en la desembocadura del río Savegre. En el humedal se pueden observar grandes árboles de mangle rojo *(Rhizophora mangle)*, que alcanzan hasta 40 m de alto, y es sitio frecuentado por espátulas rosadas *(Ajaia ajaja)* y chocuacos *(Cochlearius cochlearius)*. En la playa nidifican tortugas baulas *(Dermochelys coriacea)* y loras *(Lepidochelys olivacea)*. La carretera Costanera Sur pasa a través de este refugio.

RESERVA BIOLÓGICA CERRO VUELTAS

PROTEGE PARTE DE LOS PÁRAMOS que se encuentran en las partes más altas de la cordillera de Talamanca y de los robledales, compuestos principalmente por enormes árboles de roble *(Quercus spp.)* que los rodean. El mirlo negruzco *(Turdus nigrescens)*, un ave residente de las altas elevaciones, es aquí muy común. El camino histórico que comunicaba el Valle Central con San Isidro de El General atraviesa esta reserva. El cerro Vueltas tiene 3.156 m de altitud, se encuentra al lado de la carretera Panamericana (km 74) y es un excelente mirador que permite abarcar una gran extensión del territorio nacional.

coriacea) and olive ridleys *(Lepidochelys olivacea)* lay their eggs. Access to this refuge is via the highway between San Isidro de El General and Dominical.

PORTALÓN NATIONAL WILDLIFE REFUGE

THIS COMPRISES A BEACH FOR TURTLES, remnants of forests on mountains parallel to the coast, and a mangrove swamp that is connected to the extensive mangrove swamp situated at the mouth of the River Savegre. In the wetland, large trees like the red mangrove *(Rhizophora mangle)* up to 40 m high can be seen. It is frequented by roseate spoonbills *(Ajaia ajaja)* and boat-billed heron *(Cochlearius cochlearius)*. Leatherback turtles *(Dermochelys coriacea)* and olive ridely turtles *(Lepidochelys olivacea)* nest on the beach. The Costanera Sur Highway passes through the middle of this refuge.

CERRO VUELTAS BIOLOGICAL RESERVE

IT PROTECTS PART OF THE PARAMOS in the highest parts of the Cordillera de Talamanca, and the oak forests *(Quercus* spp.) surrounding them. The sooty robin *(Turdus nigrescens)*, a bird that lives in high mountain areas, is quite common there. The historic road that joins the Central Valley to San Isidro de El General crosses this reserve. The 3,156 m high Vueltas Hill is situated next to the Panamerican Highway (km 74) and is an excellent look-out point covering a large part of the country.

EN EL MANGLAR DEL REFUGIO NACIONAL de Vida Silvestre Portalón pueden observarse grandes ejemplares de mangle rojo.

IN THE MANGROVE SWAMP OF PORTALÓN National Wildlife Refuge, there are large specimens of red mangrove.

Arenal-Tilarán y Arenal-Huétar Norte

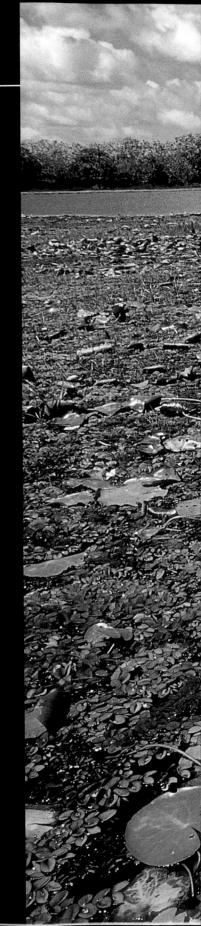

El Refugio Nacional de Vida Silvestre Caño Negro (derecha), un área lacustre rodeada de terrenos pantanosos que concentra un gran número de aves, forma parte de la Lista de Humedales de Importancia Internacional de Ramsar. A la izquierda, el bosque nuboso de Monteverde.

Caño Negro National Wildlife Refuge (right), a lacustrine area surrounded by swampy land where large numbers of birds gather, is on the Ramsar List of Wetlands of International Importance. On the left, Monteverde cloud forest.

Parques Nacionales
Volcán Arenal y Volcán Tenorio

En las proximidades de la laguna Arenal, de gran importancia hidrológica para el país, se han formado una serie de zonas pantanosas rodeadas de densos bosques húmedos.

In the environs of Arenal Lagoon, which is of great hydrological importance to the country, a series of swamps have formed surrounded by thick moist forests.

Los elementos más característicos de estos dos parques nacionales vecinos son: el volcán Arenal, un cono activo y casi perfecto de 1.633 m de elevación cuyas erupciones explosivas, de lava muy viscosa, ofrecen durante las noches un espectáculo extraordinario; el volcán Chato, un cono truncado que tiene en su parte superior un cráter de explosión ocupado por una laguna de aguas de color verde azulado, y el volcán Tenorio, de 1.916 m de altitud, que presenta una gran actividad geotérmi-

ca y solfatárica. El Arenal es un estratovolcán de forma cónica y de origen muy reciente, que en 1968 reinició su actividad eruptiva con una fuerte explosión de tipo peleano que formó un cráter a mitad del cono y emitió nubes ardientes que provocaron grandes daños. En 1975 tuvo un nuevo paroxismo, con cuatro explosiones que originaron enormes nubes de cenizas. Desde que reinició su actividad ha emitido más de 60 coladas de lava, sobre algunas de las cuales se observa el interesante

ARENAL VOLCANO AND TENORIO VOLCANO NATIONAL PARKS

THE MOST CHARACTERISTIC FEATURES of these two neighboring national parks are Arenal Volcano, an active and almost perfect cone 1,633 m high whose explosive eruptions of very viscous lava provide an extraordinary spectacle at night, and Chato Volcano with its truncated cone and explosion crater in its upper part containing a lagoon of bluish green water. In the 1,916 m-high Tenorio Volcano there is a lot of geothermal and solfataric activity.

El Arenal is a conical stratovolcano of very recent origin, which started erupting again in 1968 with a big Peléean-type explosion that formed a crater half way up the cone and gave off glowing clouds of gas-fluidized material which caused a great deal of destruction. In 1975, it shook again, with four explosions that threw up great clouds of ash. Since becoming active again, it has emitted over 60 lava flows, and the interesting phenomenon of forest succession can be seen on some of

LA SILUETA DEL VOLCÁN ARENAL, un cono casi perfecto, puede ser observado desde muchos kilómetros de distancia. Este estratovolcán se mantiene en una continua actividad.

THE OUTLINE OF ARENAL VOLCANO, an almost perfect cone, can be seen from many kilometers away. This stratovolcano is continually active.

Arriba, LAS FALDAS DENSAMENTE FORESTADAS del volcán Tenorio, un detalle de la vegetación acuática que cubre las zonas pantanosas alrededor del lago Arenal, y uno de los ríos que desembocan en la laguna.

Above, THE DENSELY FORESTED SLOPES of Tenorio Volcano, part of the aquatic vegetation covering the swampy area around Lake Arenal, and one of the rivers that flow into the lagoon.

fenómeno de la sucesión forestal, con abundancia de helechos arborescentes. En la actualidad, el Arenal constituye un gran atractivo turístico por sus magníficas explosiones que emiten gases, cenizas y bloques, cuya incandescencia constituye un gran espectáculo nocturno.

El Tenorio está constituido por cuatro conos volcánicos, por otras estructuras como domos volcánicos y conos piroclásticos y por dos cráteres gemelos identificados como el volcán Montezuma. De los conos Tenorio-Montezuma se han derramado diversas coladas de lava que son fácilmente reconocibles. En la actualidad presenta actividad fumarólica en el flanco noreste, a 965 m, en el sitio conocido como Las Quemadas. A 1 km al norte del anterior, en el sitio denominado La Casa y también en

las márgenes del río Roble, en el lugar denominado Hervideros, existen igualmente focos termales. Actualmente se hacen estudios para el aprovechamiento de la energía geotérmica en los alrededores de este volcán.

En el Área de Conservación Arenal, a la que pertenecen estos dos parques, se han identificado 3.451 especies de flora y 2.459 de fauna, de las que el 1% y el 5%, respectivamente, son endémicas. A este notable valor biológico se agrega el energético. Aprovechando la existencia de cuencas hidrográficas cubiertas de bosques y las condiciones particulares de la zona, se construyó el complejo hidroeléctrico Arenal, el más grande del país, que consta de tres plantas generadoras, Arenal, Sandillal y Corobicí; aquí se genera el 40,4% de toda la electricidad que

them, with a large number of tree ferns. At present, El Arenal is a great tourist attraction for its wonderful explosions, which give off gases, ash and incandescent rocks that make for a great spectacle at night.

El Tenorio consists of four volcanic cones and other structures like volcanic domes and pyroclastic cones, and of twin craters known as Montezuma Volcano. Several easily recognizable lava flows have emerged from the cones of Tenorio-Montezuma. Nowadays, there is fumarole activity on the northeast flank at 965 m in the place known as Las Quemadas. There are also thermal points 1 km north of the former at a place known as La Casa, and also on the edges of the Roble River at Hervideros. Studies are currently being carried out to take advantage of the geothermal energy in the area surrounding this volcano.

In the Arenal Conservation Area to which both parks belong, 3,451 species of flora and 2,459 species of animals have been identified; 1-5% of these, respectively, are endemic. Besides such biological value, there is that of energy. The Arenal hydroelectric complex, the largest in the country, was built by taking advantage of the existence of the forest-clad drainage basins and the special conditions in the area. Its three generating stations: Arenal, Sandillal and Corobicí produce 40.4% of all the electricity consumed in the country. There is also a wind power project in the nearby area of Tejona. The basin of Arenal

Las explosiones del volcán Arenal son espectaculares. La última se produjo en agosto de 2003 (abajo). En sus faldas aparecen claramente definidas las diferentes coladas lávicas de sus últimas erupciones.

Arenal Volcano's explosions are spectacular. The last one took place in August 2003 (below). Its slopes bear the signs of the various clearly defined lava flows from its latest eruptions.

EL BOSQUE LLUVIOSO ha desaparecido de las laderas del volcán Arenal y únicamente se conserva en las proximidades de la laguna de su mismo nombre.

THE RAIN FOREST HAS DISAPPEARED from the slopes of Arenal Volcano, only remaining in the environs of the lagoon of the same name.

el terciopelo *(Sloanea faginea)*, el laurel *(Cordia alliodora)* –muy abundante– y el piedra *(Coccoloba tuerckheimii)*. Una curiosidad botánica presente en el volcán Tenorio es el árbol cacho o costilla de danto *(Parmenteria valerii)*, cuyos frutos, semejantes a pepinos de gran tamaño, crecen directamente del tronco. En el volcán Chato son muy abundantes las orquídeas.

Algunas de las especies de fauna presentes son el pavón *(Crax rubra)*, el oso caballo *(Myrmecophaga tridactyla)*, la danta *(Tapirus bairdii)*, el tepezcuintle *(Agouti paca)*, el jaguar *(Panthera onca)*, el cariblanco *(Tayassu pecari)* y el mono congo *(Alouatta palliata)*. Colindante con el Parque Nacional Volcán Arenal se encuentra la Zona Protectora Tenorio, que conserva los mismos tipos de bosques húmedos; esta área protegida está en proceso de ser incorporada a este parque.

Los volcanes Arenal y Tenorio forman parte de la cordillera de Guanacaste. Al Parque Nacional Volcán Arenal se accede vía San José-Ciudad Quesada-La Fortuna-Volcán *(*128 km*)*, por carretera pavimentada. El Parque Nacional Volcán Tenorio sólo tiene acceso por un sendero que llega hasta la cima; la carretera que pasa más cerca del volcán es la que comunica Upala con la Panamericana. En Arenal existen los senderos El Principal, Las Heliconias, Las Coladas, Los Tucanes, La Catarata de la Fortuna y Los Miradores. El mirador del volcán Arenal se localiza en su base, y permite observar las erupciones con seguridad, lo mismo que las coladas de lava emitidas desde 1968 y la cumbre del volcán Tenorio.

Existen servicios de autobuses San José-La Fortuna y Ciudad Quesada-La Fortuna. En La Fortuna hay hoteles, restaurantes y mercados.

Para cualquier información dirigirse a los Telfs.: (506) 695-5180 y *(*506*)* 695-5908; fax: *(*506*)* 695-5982. Oficina del Parque Arenal: Telf.: (506) 461-8499. e-mail: acati@minae.go.cr

se consume en Costa Rica. Igualmente, en la cercana área de Tejona existe un proyecto de energía eólica. La cuenca del embalse Arenal fue incorporada a la Lista de Humedales de Importancia Internacional de Ramsar en el año 2000.

Ambos parques están principalmente cubiertos por bosques húmedos y muy húmedos perennifolios, muy alterados en el Arenal por la actividad volcánica. La cima del Chato y la cima y las vertientes este y oeste del Tenorio conservan extensos bosques primarios. Algunas de las especies más representativas de estos bosques son el leche amarilla *(Pouteria congestifolia)*,

Reservoir was included on the Ramsar List of Wetlands of International Importance in 2000.

Both parks are largely covered in moist and very moist perennial forests. In El Arenal they have been much altered by volcanic activity. The top of El Chato and the top of the eastern and western slopes of El Tenorio conserve extensive primary forests. Some of the most representative species of these forests are the yellow milk *(Pouteria congestifolia)*, the wild atta *(Sloanea faginea)*, the freijo *(Cordia alliodora)*, which is very abundant, and the stone *(Coccoloba tuerckheimii)*. One botanical curiosity on Tenorio Volcano is the 'cacho' *(Parmenteria valerii)*, which has fruits similar to large cucumbers growing directly out of the bark. There are a great many orchids on Chato Volcano.

The animal species found here include: great curassow *(Crax rubra)*, giant anteater *(Myrmecophaga tridactyla)*, Baird's tapir *(Tapirus bairdii)*, paca *(Agouti paca)*, jaguar *(Panthera onca)*, peccary *(Tayassu pecari)* and howler monkey *(Alouatta palliata)*. Alongside Arenal Volcano National Park is the Tenorio Protection Zone, which contains the same types of moist forests; this protected area is in the process of being declared part of this park.

Arenal and Tenorio volcanoes are part of the Guanacaste Cordillera. Access to El Arenal Volcano National Park is via San José-Quesada City-La Fortuna (128 km) along asphalted roads. Tenorio Volcano National Park is only accessible by a path that goes to the top; the highway that passes closest to the volcano is the one that joins Upsala with the Panamerican Highway. In Arenal there are the following paths: El Principal, Las Heliconias, Las Coladas, Los Tucanes, La Catarata de la Fortuna and Los Miradores. The look-out point of El Arenal Volcano is situated at its base, making it possible to watch the eruptions in safety, as well as the post-1968 lava flows and the peak of Tenorio Volcano in the distance.

There are bus services between San José and La Fortuna and Quesada City and La Fortuna. La Fortuna has hotels, restaurants and markets. For all information, contact Tel.: (506) 695-5180, 695-5908; fax: (506) 695-5982. Also, Arenal Park office: Tel.: (506) 461-8499; e-mail: acati@minac.go.cr

LA CIMA DEL VOLCÁN ARENAL aparece muchas veces cubierta por una densa acumulación de gases derivada de su continuada actividad volcánica.

THE SUMMIT OF ARENAL VOLCANO is often covered in a dense cloud of gases from its volcanic activity.

195

En los bosques que tapizan la zona protectora de Monteverde se han censado más de 2.500 especies de plantas, entre ellas unos 200 helechos.

In the forests covering Monteverde Protection Zone over 2,500 species of plants have been recorded.

Zona Protectora Arenal-Monteverde

Esta zona protectora, que se localiza en las vertientes pacífica y caribeña de la cordillera de Tilarán, está integrada casi en su totalidad por dos reservas privadas, la Reserva Biológica Bosque Nuboso de Monteverde, de 14.200 ha, administrada por el Centro Científico Tropical (CCT), y el Bosque Eterno de los Niños, de 17.400 ha, administrado por la Liga Conservacionista de Monteverde (LCM). Este último bosque tropical es el primero en el mundo que ha sido adquirido enteramente con donaciones de niños de Suecia, Estados Unidos, Inglaterra, Canadá y Japón.

Las dos reservas tienen un rango de elevación de 660 m en la vertiente caribeña hasta 1.859 m en el cerro Sin Nombre, en la división continental. El clima es muy lluvioso (más de 3.000 mm por año), pero la principal característica de los bosques de las partes más altas de las dos reservas es que permanecen cubiertos de nubes la mayor parte del año, lo que da lugar a una gran diversidad de musgos, hepáticas, líquenes y epífitas que crecen profusamente sobre la vegetación arbórea. Algunos de los árboles más conspicuos son el guarumo *(Cecropia polyphlebia)*, especie típica de las montañas altas de Costa Rica cuyos frutos atraen aves y murciélagos, el roble *(Quercus* spp.*)*, árbol de gran tamaño cuyos frutos o bellotas son alimento de ardillas, guatusas, chanchos de monte y venados, el zapote *(Pouteria viridis)*, cuyas semillas de gran tamaño se ven frecuentemente a lo largo de los senderos, y el matapalo *(Ficus tuerckheimii)*.

En la zona se han identificado 100 especies de mamíferos, de las que 40 son murciélagos; algunos de los mamíferos más

ARENAL-MONTEVERDE PROTECTION ZONE

T HIS PROTECTION ZONE, situated on the Pacific and Caribbean slopes of the Tilarán Cordillera, almost entirely consists of two private reserves: the 14,200-ha Monteverde Cloud Forest Reserve, run by the Tropical Science Center (TCC), and the 17,400-ha Bosque Eterno de los Niños (Children's Everlasting Forest), run by the Monteverde Conservationist League (MCL). The latter is the first in the world to be entirely acquired through donations from children from Sweden, the United States, England, Canada and Japan.

The two reserves range in height from 660 m on the Caribbean slope to 1,859 m on Cerro Sin Nombre (No Name Hill) on the continental side. The climate is very wet (over 3,000 mm per year), but the main feature of the forests on the highest parts of the two reserves is that they remain covered in cloud for most of the year, giving rise to a large diversity of mosses, livervorts, lichens and epiphytes which grow profusely on the trees. The most conspicuous trees include the guarumo *(Cecropia polyphlebia)*, a species typical of high mountains in Costa Rica whose fruits attract birds and bats; the oak *(Quercus* spp.), a large tree whose fruits or acorns are food for squirrels, agouties, peccaries and deer; the zapote *(Pouteria viridis)*, the large seeds of which are frequently seen along paths, and the wild fig *(Ficus tuerckheimii)*.

One hundred species of mammals have been identified, including 40 bats. Some of the most numerous mammals include the fruit-eating bat *(Artibeus toltecus)*, the almost

*L*AS *ABUNDANTES PRECIPITACIONES que cada año se producen en Monteverde permiten el desarrollo de un denso bosque tropical muy rico en especies arbóreas.*

*T*HE ABUNDANT ANNUAL *precipitation on Monteverde promotes the growth of thick tropical forest very rich in tree species.*

MÁS DE 400 ESPECIES DE AVES se han identificado en Monteverde, lo que le convierten en un santuario para la ornitología. Arriba, el cabezón cabecirrojo y una reinita. A la derecha, el bosque nuboso.

OVER 400 SPECIES OF BIRDS have been identified in Monteverde, making it an ornithological sanctuary. Above, the red-headed barbet and a warbler. On the right, cloud forest.

abundantes son el murciélago frutero tolteco *(Artibeus toltecus)*, el mono congo *(Alouatta palliata)*, de color casi totalmente negro, el cusuco o armadillo de nueve bandas *(Dasypus novemcinctus)*, la chisa o ardilla negra *(Sciurus deppei)* y el ratón mexicano *(Peromyscus nudipes)*. Con respecto a aves, se han observado 400 especies –casi la mitad de las existentes en el país–, incluyendo el martín pescador verde *(Chloroceryle americana)*, el búho corniblanco *(Lophostrix cristata)*, la lapa verde *(Ara ambigua)*, el águila solitaria *(Harpyhaliaetus solitarius)* y el quetzal *(Pharomachrus mocinno)*, posiblemente el ave más bella del continente y la más famosa de la zona. Los colibríes (30 especies) son las aves que con mayor fascinación observan los turistas que visitan las reservas.

completely black howler monkey *(Alouatta palliata)*, the nine-banded armadillo *(Dasypus novemcinctus)*, the black squirrel *(Sciurus deppei)* and the Mexican mouse *(Peromyscus nudipes)*. As far as birds are concerned, 400 species, almost half of all those in the country, including the green kingfisher *(Chloroceryle americana)*, the crested owl *(Lophostrix crista-ta)*, the great green macaw *(Ara ambigua)*, the solitary eagle *(Harpyhaliaetus solitarius)* and the resplendent quetzal *(Pharomachrus mocinno)*, possibly the most beautiful bird on the continent and the most famous in the area. The 30 species of hummingbirds are the ones that most fascinate tourists who visit the reserves.

ARRIBA, EL BOSQUE NUBOSO con sus árboles cuajados de plantas epífitas, y un colibrí esmeralda coliazul. A la izquierda, detalle de las frondas de un helecho.

ABOVE, THE CLOUD FOREST draped in epiphytes, and a garden emerald hummingbird. On the left, fern fronds.

LA RIQUEZA DE INVERTEBRADOS y en particular de mariposas es digna de reseñar en los bosques de la zona protectora de Monteverde. A la derecha, un macho de colibrí morado.

THE WEALTH OF INVERTEBRATES, especially of butterflies, is worthy of special note in the forests of Monteverde Protection Zone. On the right, a male violet sabrewing hummingbird.

una parte y el resto es de lastre transitable todo el año. Dentro de las dos reservas existen varios senderos, algunos de ellos con interpretación, que conducen a sitios de interés científico y escénico, como el sendero nuboso que conduce hasta La Ventana, sobre la división continental. Existen servicios de autobuses San José-Monteverde y Puntarenas-Santa Elena, y de taxis Santa Elena-estación. En Santa Elena hay restaurantes y mercados, y en Monteverde se encuentran hoteles y pensiones. Para cualquier información dirigirse al Centro Científico Tropical (CCT). Telf.: (506) 645-5122; fax: (506) 645-5034; e-mail: motever@cct.or.cr; o a la Liga de Conservación de Monteverde (LCM). Telf.: (506) 645-5003; fax: (506) 645-5104; e-mail: acmmcl@racsa.co.cr

A LA DERECHA, la amplia extensión de bosque tropical cubriendo el accidentado terreno, con sombrillas de pobre en primer término. Arriba, el interior del bosque.

ON THE RIGHT, EXTENSIVE TRACTS of tropical forest on rugged terrain, with poorman's umbrella in the foreground. Above, the forest interior.

También se han identificado 153 especies de anfibios y reptiles, incluyendo las ranas translúcidas *(Centrolenella* sp.), la boa constrictora *(Boa constrictor)*, la serpiente de coral centroamericana *(Micrurus nigrocinctus)* y la serpiente terciopelo *(Bothrops asper)*, muy venenosa. El sapo dorado *(Bufo periglenes)*, el anfibio endémico más conocido y estudiado de la zona, se extinguió hace algunos años. La Reserva del Bosque Nuboso de Monteverde cuenta con una estación biológica que consta de salas de reuniones, un laboratorio, una biblioteca, un comedor, una tienda y dormitorios. A esta estación se llega siguiendo la ruta San José-Interamericana Norte-Monteverde-estación (172 km); la porción Interamericana-estación está asfaltada en

Also, 153 species of amphibians and reptiles have been identified, including glass frog (*Centrolenella* sp.), boa *(Boa constrictor)*, Central American coral snake *(Micrurus nigrocinctus)* and the highly poisonous fer-de-lance *(Bothrops asper)*. The golden toad *(Bufo periglenes)*, the best known and most studied endemic amphibian in the area, died out a few years ago. The Monteverde Cloud Forest Reserve has a biological station with meeting rooms, laboratory, library, dining room, shop and dormitories. Access to this station is from San José along the Interamericana Norte, and then to the Monteverde Station (172 km). The section from the Interamericana Highway to the station is partly asphalted and the rest is grit and usable throught the year. Within the two reserves there are several paths, (some with interpretation), leading to sites of scientific and scenic interest. One cloud-covered path, for example, leads to La Ventana (The Window), on the Continental Divide. Buses run between San José and Monteverde and between Puntarenas and Santa Elena, and there is a taxi service from Santa Elena to the station. In the town of Santa Elena there are restaurants and markets, and in Monteverde there are hotels, boarding houses and a cheese factory. For all information, contact the Tropical Science Center (Centro Científico Tropical or CCT). Tel.: (506) 645-5122; fax: (506) 645-5034; e-mail: motever@cct.or.cr; or the Liga de Conservación de Monteverde (LCM). Tel.: (506) 645-5003; fax: (506) 645-5104; e-mail: acmmcl@racsa.co.cr

ABAJO, AL FONDO, UNA VISTA GENERAL del área protegida. A la izquierda, una hembra de colibrí morado y, arriba, una de las más de 350 orquídeas que aquí viven.

BELOW, IN THE BACKGROUND, A GENERAL VIEW of the protected area. On the left, a female violet sabrewing hummingbird, and, above, one of the more than 350 orchids that grow there.

PARQUE NACIONAL
JUAN CASTRO BLANCO

ESTE PARQUE FUE ESTABLECIDO para proteger una franja de bosques primarios y secundarios localizada a alturas entre los 700 y los 2.267 m. Alberga una gran diversidad de especies de flora y fauna y garantiza un flujo constante y limpio para infinidad de nacientes de agua de ríos tan importantes como el Toro, el Aguas Zarcas, el Guayabo y el Platanar. La precipitación media anual es de 4.000 mm.

Por ubicarse en la Cordillera Volcánica Central, la geomorfología del área es volcánica. Entre los principales representantes se encuentra el volcán Platanar, con 2.183 m, aún activo, el cerro Viejo, de 2.122 m, inactivo, y la caldera de erosión de Río Segundo. Esta área protegida cuenta con tres zonas de vida: bosque premontano pluvial, bosque premontano muy húmedo y bosque pluvial montano bajo. Entre las especies forestales se destacan los enormes robles (Quercus spp.), el candelillo o magnolia (Magnolia poasana), especie típica de las montañas altas, los quizarrás o aguacatillos (Ocotea spp. y Nectandra spp.), el yos (Sapium rigidifolium), el cedrillo macho (Brunellia costaricensis) y el cipresillo (Podocarpus macrostachyus). Las bromeliáceas, las orquídeas, las palmas y los helechos son muy abundantes.

La fauna está representada por 44 especies de anfibios, 32 de reptiles, 107 de aves y 30 de mamíferos. Entre los anfibios y

ABAJO, EL APAREAMIENTO de dos mariposas y una cotinga nívea sobre un palo en las partes más bajas del parque.

BELOW, TWO BUTTERFLIES mating, and a snowy cotinga on a post in the lower reaches of the park.

JUAN CASTRO BLANCO
NATIONAL PARK

THIS PARK WAS ESTABLISHED to protect a strip of primary and secondary forest between 700 to 2,267 m. It holds a great diversity of animal and plant species, and guarantees a constant flow of clean water for the headwaters of such important rivers as the Toro, Aguas Zarcas, Guayabo and Platanar. Annual average precipitation is 4,000 mm.

As it is located in the Central Volcanic Cordillera, the area is volcanic in geomorphological terms. Among the main representatives is the still-active Platanar Volcano at 2,183 m, the inactive Cerro Viejo at 2,122 m, and the Río Segundo erosion caldera.

This protected area has three life zones: premontane rainforest, very moist premontane forest and lower montane rain forest. Among the forest species are the enormous oaks (*Quercus* spp.), magnolia (*Magnolia poasana*), a species typical of the high mountains, quizarras (*Ocotea* spp. and *Nectandra* spp.), the yos (*Sapium rigidifolium*), the small cedar (*Brunellia costaricensis*) and the white cypress (*Podocarpus macrostachyus*). There are large numbers of bromeliads, orchids, palms and ferns.

The fauna is represented by 44 amphibian, 32 reptile, 107 bird and 30 mammal species. Among the amphibians and reptiles are the glass frog (*Centrolenella euknemos*), basilisk (*Basiliscus plumifrons*), boa (*Boa constrictor*) and fer-de-lance (*Bothrops asper*). Among the birds, the quetzal (*Pharomachrus mocinno*), which feeds mainly on small wild avocados, the bat falcon (*Falco rufigularis*) and the white hawk (*Leucopternis albicollis*), are the most noteworthy. The mammals include Baird's tapir (*Tapirus*

bairdii), which is the biggest land mammal in the country, tayra (*Eira barbara*), northern tamandua (*Tamandua mexicana*), red brocket deer (*Mazama americana*) and coyote (*Canis latrans*), besides 5 of Costa Rica's 6 cat species.

Archeological finds indicate that the region was a meeting point for cultures from both North and South of the con

En Juan Castro Blanco existen tres tipos de bosques: el premontano pluvial, el premontano muy húmedo y el bosque pluvial montano bajo (arriba).

In Juan Castro Blanco there are three kinds of forest: premontane rainforest, very moist premontane and low montane rainforest (above).

reptiles se encuentran la ranita de vidrio *(Centrolenella euknemos)*, el garrobo *(Basiliscus plumifrons)*, la boa o béquer *(Boa constrictor)* y la serpiente terciopelo *(Bothrops asper)*. Entre las aves sobresalen el quetzal *(Pharomachrus mocinno)*, que se alimenta principalmente de aguacatillos, el halcón murcielaguero *(Falco rufigularis)* y el busardo blanco *(Leucopternis albicollis)*. La mastofauna incluye la danta *(Tapirus bairdii)*, el mayor mamífero terrestre del país, el tolomuco *(Eira barbara)*, el oso colmenero *(Tamandua mexicana)*, el cabro de monte *(Mazama americana)* y el coyote *(Canis latrans)*, además de 5 de las 6 especies de felinos existentes en el país.

Algunos hallazgos arqueológicos muestran que la región fue un punto de encuentro de culturas procedentes tanto del norte como del sur del continente. Uno de los cacicazgos más importantes de la zona antes de la llegada de los españoles, el de los indios Boto, se extendía hasta el Valle Central, atravesando los territorios de los actuales parques nacionales Juan Castro Blanco y Volcán Poás.

Juan Castro Blanco se localiza en la fila la Chocosuela, al extremo oeste de la Cordillera Volcánica Central. Las carreteras Zarcero-Ciudad Quesada y Ciudad Quesada-Aguas Zarcas-Venecia rodean el parque por el oeste y el norte; desde cada una de estas ciudades parten carreteras o caminos lastrados que conducen hasta los límites de esta área protegida. El camino lastrado que conduce al proyecto hidroeléctrico Toro II, una de las 10 hidroeléctricas que se abastecen del agua producida en el parque, permite observar el bosque de la región. Desde la administración del parque, localizada en San José de la Montaña, parten tres senderos que conducen al interior del bosque y a la laguna Poza Verde. Existen servicios de autobuses entre San José y las ciudades mencionadas, y en todas ellas existen mercados o pulperías, hoteles o pensiones y gasolineras, y se pueden alquilar taxis. Para cualquier tipo de información dirigirse al Telf.: (506) 460-7600; o comunicarse a la Oficina Regional Ciudad Quesada a los Telf.: (506) 460-0055, 460-0146; fax: (506) 460-0644; e-mail: achn@minae.go.cr

*E*N LA ACCIDENTADA OROGRAFÍA *del parque se localizan numerosos nacientes de afluentes del río San Juan. A la derecha, una ranita arborícola.*

*M*ANY OF THE TRIBUTARIES *of the San Juan River rise in the park's rugged terrain. On the right, a tree frog.*

tinent. One of the most important chiefdoms in the area before the Spanish arrived was that of the Boto Indians. It extended as far as the Central Valley, across the territories of the current Juan Castro Blanco and Poás Volcano national parks.

Juan Castro Blanco is situated along the Chocosuela mountain chain at the western end of the Central Volcanic Cordillera. The Zarcero-Ciudad Quesada and Ciudad Quesada-Aguas Zarcas-Venecia highways go round the park to the West and North; from each of these cities, highways or grit roads lead to the protected area boundaries. The grit road that leads to the Toro II Hydroelectric Project – one of the 10 that are supplied with water from the park – affords views of the forest. From the park's offices in San José de la Montaña three trails lead into the forest and to Poza Verde Lagoon. There are bus services between San José and the abovementioned cities, and all of them have markets or grocery stores, hotels or guesthouses, gas stations and taxi services. For all information, please contact Tel.: (506) 460-7600; or call the Ciudad Quesada Regional Office (Oficina Regional) on Tel.: (506) 460-0055, 460-0146; fax: (506) 460-0644; e-mail: achn@minae.go.cr

La alta pluviosidad que se registra en estas más de 14.000 hectáreas y los fuertes desniveles del terreno originan espectaculares cascadas.

The high rainfall over these 14,000 hectares of land and the sudden changes in height give rise to spectacular waterfalls.

Una de las plantas más bellas y llamativas de la Reserva Biológica Alberto Manuel Brenes es la conocida como flor de la Pasión.

One of the loveliest and most striking plants in Alberto Manuel Brenes Biological Reserve is the well known passion flower.

REFUGIO NACIONAL DE VIDA SILVESTRE CAÑO NEGRO

Un área lacustre y de terrenos pantanosos formados por sedimentación aluvial integran este refugio de vida silvestre, que fue incorporado a la Lista de Humedales en 1991. El lago estacional de Caño Negro, de unas 800 ha de superficie y de unos 3 m de profundidad, es un área de rebalse del río Frío. En este refugio existen cinco hábitats principales. La vegetación en los bordes de la laguna y a lo largo de los caños es principalmente herbácea, como el pasto gamalote *(Paspalum fasciculatum)*. El bosque primario inundado se localiza en sitios que se anegan casi permanentemente. Los bosques de camíbar se encuentran también en áreas inundadas, pero su riqueza en especies es menor. Los marillales son áreas con vegetación muy homogénea formados principalmente por el María *(Calophyllum brasiliense)* y la palma real *(Attalea butyracea)*. En los yolillales domina la palma yolillo *(Raphia taedigera)*. La avifauna es rica y diversa. La colonia de patos chancho *(Phalacrocorax brasilianus)* que aquí nidifica es la más grande del país. En el refugio se encuentra la única población permanente del país del clarinero nicaragüense *(Quiscalus nicaraguensis)*, ave endémica de la cuenca del lago de Nicaragua.

RESERVA BIOLÓGICA ALBERTO MANUEL BRENES

También conocida como la Reserva Forestal de San Ramón, esta área protegida se localiza en la vertiente atlántica de la cordillera de Tilarán y su administración le corresponde a la Sede de Occidente de la Universidad de Costa Rica. La zona es montañosa, presenta pendientes fuertes, algunos ríos que la atraviesan han formado cañones profundos, y está constituida principalmente por coladas de basalto, lavas andesíticas, aglomerados y tobas y brechas autoclásticas. La vegetación, típica de bosques nubosos pluviales premontanos y montano bajos es una mezcla de especies pertenecientes a zonas bajas y altas, y presenta, además de la vegetación arbórea, que alcanza hasta 40 m de altura, abundancia de palmas, helechos, begonias y orquídeas.

REFUGIO NACIONAL DE VIDA SILVESTRE CORREDOR FRONTERIZO COSTA RICA-NICARAGUA

Se extiende como un corredor biológico de 2.000 m de ancho a lo largo de la frontera con Nicaragua, desde punta Castilla, en el Caribe, hasta bahía Salinas, en el Pacífico. Conecta el Área de Conservación Tortuguero con los humedales de Tamborcito y Maquenque, las reservas forestales El Jardín y La Cureña y el Área de Conservación Guanacaste. Este refugio, parcialmente alterado, incluye playas, bosques secos, humedales, bosques húmedos y lagunas costeras.

REFUGIO NACIONAL DE VIDA SILVESTRE LAGUNA LAS CAMELIAS

Humedal palustrino que incluye a esta laguna, bordeada por yolillales –formados por la palma yolillo *(Raphia taedigera)*– y por bosques anegados. Estas florestas sirven como área de alimentación y reproducción para unas 240 especies de aves, entre ellas la cerceta aliazul o zarceta *(Anas discors)*, el pijije suirirí piquirrojo *(Dendrocygna autumnalis)* y el tántalo o garzón *(Mycteria americana)*. Dos especies en peligro de extinción que se encuentran aquí son el pato real *(Cairina moschata)* y el jabirú o galán sin ventura *(Jabiru mycteria)*. Los caimanes *(Caiman crocodilus)* son muy abundantes. Algunos caminos de tierra que parten de Upala permiten acceder hasta esta laguna.

CAÑO NEGRO NATIONAL WILDLIFE REFUGE

AN AREA OF LAKES AND SWAMPY LAND formed from alluvial sedimentation make up this wildlife refuge, which has been included on the Ramsar List of Wetlands of International Importance in 1991. The seasonal lake of Caño Negro, some 800 ha in area and 3 m deep, is a dammed part of the Frio River. There are five main habitats in this refuge. The vegetation on the edges of the lake and along the channels such as gamalote grass *(Paspalum fasciculatum)*, is mainly herbaceous. The flooded primary forest is located in places that are permanently or almost permanently flooded. Camibar forest also occurs in flooded areas, but which are less rich in species. The patches of Santa María forest have very homogeneous vegetation chiefly made up of Santa Maria *(Calophyllum brasiliense)* and royal palm *(Attalea butyracea)*. In the holillo stands, holillo palm *(Raphia taedigera)* predominates. The birdlife is rich and varied. The colony of olivaceous cormorants *(Phalacrocorax brasilianus)* that nest here is the biggest in the country. This refuge hosts the only permanent population of Nicaraguan grackle *(Quiscalus nicaraguensis)*, an endemic bird of the basin of Nicaragua Lake.

ALBERTO MANUEL BRENES BIOLOGICAL RESERVE

ALSO KNOWN AS THE San Ramón Biological Reserve, this protected area is located on the Atlantic side of the Tilarán Cordillera and managing it is the responsibility of the Western H.Q. of the University of Costa Rica. The area is mountainous with steep slopes. Some of the rivers flowing across it have formed deep canyons, and it mainly consists of flows of basalt, andesitic lava, agglomerates and tufas, and autoclastic breccias. The vegetation, typical of premontane cloud forest and lower montane forests, is a mixture of species belonging to low and high areas and, besides the arboreal vegetation that may grow up to 40 m, contains a great many palms, ferns, begonias, heliconias, lianas, bromeliads, mosses and orchids.

COSTA RICA-NICARAGUA BORDER CORRIDOR NATIONAL WILDLIFE REFUGE

IT EXTENDS AS A 2,000 M-WIDE BIOLOGICAL corridor along the frontier with Nicaragua from Castilla Point in the Caribbean as far as Salinas Bay in the Pacific, connecting the Tortuguero Conservation Area with the wetlands of Tamborcito and Maquenque, the El Jardín and La Cureña Forest Reserves and the Guanacaste Conservation Area. This refuge, which is partially disturbed, includes beaches, dry forests, wetlands, moist forests and coastal lagoons.

LAS CAMELIAS LAGOON NATIONAL WILDLIFE REFUGE

THIS PALUSTRINE WETLAND INCLUDES lagoon bordered by holillo stands – almost exclusively made up of holillo palm *(Raphia taedigera)* – and flooded forests. These forests serve as a feeding and breeding area for 240 species of birds, including blue-winged teal *(Anas discors)*, black-bellied whistling duck *(Dendrocygna autumnalis)* and wood stork *(Mycteria americana)*. Two threatened species found here are the muscovy duck *(Cairina moschata)* and the jabiru *(Jabiru mycteria)*. There

UNA FRESA SILVESTRE EN LA Reserva Biológica Alberto Manuel Brenes, el sotobosque y, abajo, una garza azulada en Caño Negro.

A WILD STRAWBERRY IN Alberto Manuel Brenes Biological Reserve, undergrowth and, below, a great blue heron in Caño Negro.

Numerosos ardeidos viven en los humedales de Caño Negro y en otras zonas húmedas del área de conservación, entre ellos el avetigre mejicana.

Numerous herons and egrets, including the bare-throated tiger-heron, live in the wetlands of Caño Negro and in other wetlands in the conservation area.

ZONA PROTECTORA MIRAVALLES

ABARCA EL EDIFICIO DEL VOLCÁN MIRAVALLES, sin actividad histórica, y los bosques húmedos, muy húmedos y nublados, muy bien conservados, que cubren sus faldas. El Miravalles es un estratovolcán muy complejo, de 2.028 m de altitud, con seis focos eruptivos en su cima. En sus flancos oeste y suroeste pueden verse coladas de lava. Al pie, en la parte suroeste, en Las Hornillas, accesibles por un sendero desde Bagaces, se observan interesantes manifestaciones hidrotermales. Algunos de los vestigios arqueológicos prehispánicos más antiguos del país se han encontrado aquí. Existen dos senderos que llevan hasta la cima del volcán. Hacia el este y sureste del volcán aparecen numerosos sitios de importancia arqueológica que llevan la antigüedad del poblamiento del área a 1570 años a.C

RESERVA FORESTAL CERRO EL JARDÍN

PROTEGE UN REMANENTE del bosque muy húmedo que existía todo a lo largo de la margen costarricense del río San Juan. La presencia de dos ríos navegables, el San Carlos y el San Juan, y de varios caños, como El Jardín y El Recreo, permiten observar en silencio y con gran comodidad a este bosque y escuchar los incontables sonidos que emiten las criaturas de la selva.

RESERVA FORESTAL CUREÑA-CUREÑITA

PROTEGE EL REMANENTE de mayor extensión de bosque muy húmedo que existe a lo largo de la margen derecha del río San Juan. La vegetación está constituida por un bosque alto, donde sobresalen enormes árboles de ceiba *(Ceiba pentandra)*, guayabo de charco *(Terminalia bucoides)*, almendro *(Dipteryx*

panamensis) y guácimo colorado *(Luehea seemannii)*. Esta reserva forestal debe transformarse en una reserva biológica, con el propósito principal de proteger a la lapa verde *(Ara ambigua)*, especie en peligro de extinción. La mejor forma de conocer esta reserva es navegar por el río San Juan, y penetrar por alguno de la infinidad de ríos y quebradas que recorren el área y desembocan en este curso fluvial.

HUMEDAL PALUSTRINO LAGUNA MAQUENQUE

ESTÁ CONSTITUIDO POR TRES depresiones lacustres, una de las cuales es la laguna Maquenque, y por lomas bajas, en las que existe un bosque, en su mayoría primario, constituido por especies como el almendro *(Dipteryx panamensis)*, cuyos frutos sirven de alimento a la fauna silvestre, especialmente a la lapa verde *(Ara ambigua)*, y el cola de pavo *(Hymenolobium mesoamericanum)*, en peligro de extinción. Algunos de los mamíferos muy amenazados de extinción que habitan este humedal son el manigordo *(Leopardus pardalis)* y el manatí *(Trichechus manatus)*. La mejor forma de visitar esta área protegida es navegar por el caño Cureña, que desemboca en el río San Juan.

HUMEDAL LACUSTRINO DE TAMBORCITO

ESTÁ FORMADO POR UN GRUPO de ocho lagunas de poca extensión, que han conservado su biodiversidad sin alteraciones. Es también uno de los pocos hábitats que protegen al manatí *(Trichechus manatus)*, una especie en grave peligro de extinción en toda Mesoamérica. La mejor forma de visitar algunas de estas lagunas es navegar por el caño Tamborcito, que desemboca en el río San Juan.

are lots of caymans *(Caiman crocodilus)*. Dirt roads connect Upala with the lagoon.

MIRAVALLES PROTECTION ZONE

IT INCLUDES THE EDIFICE OF THE Miravalles Volcano, which has no record of activity, and the very well conserved moist forests, very moist forests and cloud forests covering its lower slopes. The Miravalles is a very complex stratovolcano 2,028 m high with six eruption points at its peak. On its western and southwestern flanks there are lava flows. At the foot, in the southwestern part, in Las Hornillas, which is accessible by the path from Bagaces, interesting examples of hydrothermal activity can be seen. Some of the oldest pre-Hispanic archeological remains in the country have been found in this area. Two paths lead to the top of the volcano. To the east and south-east of the volcano there are many important archeological sites that set the date of the settlement at 1570 BC.

CERRO EL JARDÍN FOREST RESERVE

IT PROTECTS A REMNANT OF VERY MOIST forest that existed along the entire Costa Rican edge of the San Juan River. It is possible to view this forest comfortably and in silence and listen to the countless sounds of the creatures of the jungle due to the presence of two navigable rivers (the San Carlos and the San Juan) and of several channels such as El Jardín and El Recreo.

CUREÑA-CUREÑITA FOREST RESERVE

IT PROTECTS THE LARGEST REMNANT of very moist forest on the right bank of the San Juan River. The vegetation consists of tall for-

est with outstanding enormous silk cotton trees *(Ceiba pentandra)*, black guayabo *(Terminalia bucoides)*, wild almond tree *(Dipteryx panamensis)* and cotonron *(Luehea seemannii)*. This forest reserve should be converted to a biological reserve with the main aim of protecting the endangered green macaw *(Ara ambigua)*. The best way to get to know the reserve is to take a boat on the San Juan River and go along one of the countless rivers and streams that crisscross the area and discharge into the river.

MAQUENQUE LAGOON PALUSTRINE WETLAND

THIS CONSISTS OF THREE LACUSTRINE depressions of which one is Maquenque Lagoon, and of low hillocks with mainly primary forest made up of species like wild almond tree *(Dipteryx panamensis)*, whose fruits are eaten by animals, especially the green macaw *(Ara ambigua)*, and the endangered turkey's tail *(Hymenolobium mesoamericanum)*. Some of the very threatened mammals that live in this wetland are the ocelot *(Leopardus pardalis)* and the West Indian manatee *(Trichechus manatus)*. The best way to visit this protected area is to take a boat along the Cureña Channel, which discharges into the San Juan River.

TAMBORCITO LACUSTRINE WETLAND

IT CONSISTS OF A GROUP of eight small lagoons that have conserved their biodiversty undisturbed. It is also one of the few habitats that provide protection for West Indian manatees *(Trichechus manatus)*, a highly threatened species throughout Central America. The best way to visit some of these lagoons is by boat along the Tamborcito Channel, which discharges into the San Juan River.

Arriba, DETALLE DE UN HELECHO en el bosque húmedo y, abajo, un bando de garcetas grandes en el lago estacional de Caño Negro.

Above, PART OF A FERN in the moist forest and, below, a flock of great egrets at Caño Negro seasonal lake.

ISLA DEL COCO

LA ISLA DEL COCO fue declarada
Patrimonio Mundial por la UNESCO
en el año 1997. A la derecha,
dos de las innumerables cascadas que
se forman en los abruptos
acantilados de la isla y, a la
izquierda, una gigantesca manta raya
y un pomacéntrido muestran la gran
riqueza del medio marino que
la rodea.

COCO ISLAND was declared a World
Heritage site by UNESCO in 1997.
On the right, two of the countless
waterfalls on the island's steep cliffs
and, on the left, a huge manta ray
and a pomacentrid fish are examples
of the great richness of the
surrounding marine environment.

PARQUE NACIONAL
ISLA DEL COCO

una cadena de volcanes submarinos que se extiende desde las islas Galápagos hasta la fosa Mesoamericana, frente a punta Burica-Quepos. Fue descubierta por el piloto español Juan Cabezas hacia el año 1526, y ya para 1556 figuraba en el planisferio de Desliens con el nombre de Isla de los Cocos. Su primera etapa de fama se produjo gracias a los tres tesoros que fueron escondidos en ella por William Davies, Benito "Espada Sangrienta" Bonito, y William Thompson, entre los años 1684 y 1821. El llamado tesoro de Lima, que escondió Thompson, es el más valioso de todos, porque incluye una imagen de la Virgen y el Niño, de tamaño natural y en oro puro.

La topografía de la isla es abrupta, por lo reciente de su formación y el fuerte oleaje favorecido por las aguas profundas que la rodean. Esta condición y los aproximadamente 7.000 mm de precitación anual, originan condiciones propicias para la existencia de numerosos saltos de agua, algunos de los cuales caen de manera espectacular al mar. Existe una condición de nubosidad casi permanente, principalmente en su punto culminante, el cerro Iglesias, de 636 m. Está cubierta por un bosque siempreverde en el que se han identificado 175 especies de plantas vasculares, de las que 68 son de helechos y afines; 85 de hongos superiores; 25 de musgos y 27 de hepáticas. Las especies de árboles más abundantes son el copey *(Clusia rosea)*, la palma *(Euterpe precatoria)*, el guarumo *(Cecropia pittieri)* y el palo de hierro *(Sacoglottis holdridgei)* –las dos últimas endémicas. Muy notables son los helechos arborescentes, de los que existen tres especies: *Cyathea alphonsiana, C. notabilis* y *Trichipteris nesiotica.*

ESTE EDIFICIO VOLCÁNICO, de abrupta topografía y una altísima pluviosidad se caracteriza por sus sinuosas costas con grandes acantilados y numerosas cuevas submarinas.

THIS VOLCANIC EDIFICE, with its rugged terrain and extremely high rainfall, features sinuous winding coasts, tall cliffs and many underwater caves.

LA ISLA DEL COCO, un "bouquet de verdor en medio de los mares", como ha sido llamada, se encuentra a 532 km de Cabo Blanco, en la costa pacífica de Costa Rica, entre los 5° 30' y los 5° 34' de latitud norte, y entre los 87° 06' y los 87° 02' de longitud oeste. Costa Rica tomó posesión de esta isla el 15 de septiembre de 1869. Fue declarada por la UNESCO Sitio del Patrimonio Mundial en 1997 e incorporada a la Lista de Humedales de Importancia Internacional de Ramsar en 1998.

Se trata de un edificio volcánico que se yergue a 3.000 m desde la dorsal submarina denominada cresta asísmica del Coco,

Coco Island National Park

Isla del Coco, 'a bouquet of greenery between the seas' as it has been called, is located 532 km from Cabo Blanco on the Pacific coast of Costa Rica between 5° 30' and 5° 34' latitude north and between 87° 06' and 87° 02' longitude west. Costa Rica took possession of this island on 15 September 1869. It was declared a World Heritage Site by UNESCO in 1997, and included on the Ramsar List of Wetlands of International Importance in 1998.

This volcanic edifice that lies 3,000 m from the underwater ridge known as the asismic crest of El Coco's, a chain of underwater volcanoes that extends from the Galapagos Islands to the Central American Trench off Burica-Quepos Point. It was discovered by the Spanish navigator Juan Cabezas around 1526, and in 1556 already appeared on Desliens's map under the name Ile de Coquess. It first became famous thanks to the three treasures hidden there by William Davies, Benito 'Bloody Sword' Bonito and William Thompson between 1684 and 1821. The so-called treasure of Lima, which Thompson hid, is the most valuable of all because it includes a life-size image of the Virgin and Child in pure gold.

The islands's terrain is abrupt due to its recent formation and the strong waves created by the deep waters surrounding it. This fact and the approximately 7,000 mm of annual precipitation give rise to propitious conditions for many waterfalls, some of which fall spectacularly into the sea. There is almost permanent cloud, especially at the very top on Iglesias Hill 636 m. It is covered in evergreen forest in which 175 species of vascular plants have been recorded. These include 68 ferns and related plants,

85 higher fungi, 25 mosses and 27 liveworts. The most abundant tree species are copey *(Clusia rosea)*, the palm *Euterpe precatoria*, the guarumo *(Cecropia pittieri)* and the iron wood tree *(Sacoglottis holdridgei)*, the last two being endemic species. The three species of tree ferns, *Cyathea alphonsiana*, *C. notabilis* and *Trichipteris nesiotica*, are worthy of note.

97 species of birds have been recorded, including three endemic residents: the Coco Island cuckoo *(Coccyzus ferrugineus)*, Coco Island flycatcher *(Nesotriccus ridgwayi)* and Coco Island finch *(Pinaroloxias inornata)*. Two endemic reptiles – the lizard *Norops townsendi* and the gecko *Sphaerodactylus pacificus* –,

En el año 2002 la UNESCO amplió la zona marina de este sitio del Patrimonio Mundial, que pasó de tener 977 km² a cubrir 1.997 km². Abajo, el llamativo pez botete bonito.

In 2002, UNESCO broadened the marine area of this World Heritage site, which increased from 977 km² to 1,997 km². Below, the striking fish 'botete bonito'.

Se han censado 97 especies de aves, entre las que se incluyen tres residentes endémicas: el cuclillo de la Isla del Coco *(Coccyzus ferrugineus)*, el mosquerito de la Isla del Coco *(Nesotriccus ridgwayi)* y el pinzón de la Isla del Coco *(Pinaroloxias inornata)*. Se han identificado también dos reptiles endémicos, la lagartija *Norops townsendi* y el geco *Sphaerodactylus pacificus*, tres especies de arañas, 57 de crustáceos, unas 600 de moluscos marinos y 450 de insectos y artrópodos.

La extraordinaria diversidad marina de la isla, que incluye especies del continente, del Pacífico central y occidental y del Índico, se debe al efecto de las corrientes marinas que la convierten en un punto de convergencia.

Los arrecifes de coral que rodean la isla incluyen 18 especies de corales, donde *Porites lobata* es la especie más abundante. En sus azules y transparentes aguas viven más de 300 especies de peces; los enormes tiburones martillo *(Sphyrna lewini)* y los de aleta de punta blanca *(Triaenodon obesus)* son muy abundantes, y se han visto también las enormes e impresionantes mantarrayas *(Manta birostris)* y los tiburones ballena *(Rhincodon typus)*, los peces más grandes del mundo.

El acceso a la isla se hace por vía marítima; desde Puntarenas el viaje se realiza en 36 horas aproximadamente, hasta las bahías Wafer o Chatham, que presentan buenas condiciones para anclar. No existe alojamiento en el parque, sólo las instalaciones para el personal. Es posible realizar caminatas largas, montañismo, buceo y canotaje; una vuelta a la isla en barco permite admirar la infinidad de cascadas que allí existen. En Puntarenas se pueden contratar barcos o veleros para hacer el viaje. Para visitar este parque nacional es necesario solicitar permiso al Área de Conservación Isla del Coco al Telf./fax: *(506)* 258-7350 en las oficinas de San José. El teléfono de la guardería del parque es Vía Satélite 0087-468712-0010; fax: 0087-468712-0012; e-mail: islacoco @minae.go.cr

La gran riqueza de estas aguas litorales se fundamenta en la interrelación de arrecifes de coral y profundas aguas transparentes. Arriba, alcionarios y, a la derecha, un enorme mero.

The secret of the great richness of these coastal waters lies in the inter-relationship of coral reefs and deep transparent water. Above, a member of the Alcyonacea, and, on the right, a huge grouper.

three species of spiders, 57 crustaceans, about 600 marine molluscs and 450 insects and arthropods have been recorded.

The island's extraordinary marine diversity, which includes continental species and species from the Central and Western Pacific and the Indian Ocean, is due to the effects of the sea currents, which make it a point of convergence.

The reefs surrounding the island include 18 species of coral, with *Porites lobata* being the most numerous. Over 300 species of fish live in the calm blue waters: enormous hammerhead sharks *(Sphyrna lewini)* and white-tipped sharks *(Triaenodon obesus)* are very numerous, and huge impressive manta rays *(Manta birostris)* and whale sharks *(Rhincodon typus)*, the biggest fish in the world, have also been seen.

Access to the island is by sea; from Puntarenas the journey takes approximately 36 hours to Wafer Bay and Chatham Bay, where there are good anchoring conditions. There is no accomodation in the park, only facilities for the staff. It is possible to take long walks, go mountaineering, diving and boating. A boat trip around the island enables visitors to admire the countless waterfalls. Boats can be hired in Puntarenas to make the trip. To visit this national park, a permit is needed from Área de Conservación de la Isla del Coco (Coco Island Conservation Area) on Tel./fax: (506) 258-7350 at the offices in San José. The park ranger service has a satellite phone 0087-468712-0010; fax: 0087-468712-0012; e-mail: islacoco@minae.go.cr

La isla del Coco se encuentra tapizada por un bosque siempreverde muy denso con un sotobosque en el que la gran humedad existente permite el desarrollo de numerosos helechos.

Coco Island is cloaked in very thick evergreen forest with an undergrowth in which high humidity encourages the growth of large numbers of ferns.

BIBLIOGRAFÍA / BIBLIOGRAPHY

ACOSTA, L.G. 1998. *Análisis de la composición florística y estructura para la vegetación del piso basal de la Zona Protectora La Cangreja, Mastatal de Puriscal.* Informe de Práctica de Especialidad. Cartago, Instituto Tecnológico de Costa Rica. 69 p.

ALVARADO, F.A. 2001.*Interpretación del sendero natural Plinia, ubicado en la Zona Protectora La Cangreja, Mastatal, Costa Rica.* Seminario de Diplomado en Agroecoturismo. Atenas, Escuela Centroamericana de Ganadería. 101 p.

ALVARADO, G.E. 1989. *Los volcanes de Costa Rica.* San José, C.R., Universidad Estatal a Distancia. 175 p.

ARGUEDAS, S. 1997. *Comunicación personal.* San José, C.R., Ministerio del Ambiente y Energía.

BARQUERO, L. 1997. *Comunicación personal.* Puerto Jiménez, C.R., Ministerio del Ambiente y Energía.

BOLAÑOS, R. 1984. *Serpientes, venenos y ofidismo en Centroamérica.* San José, C.R., Editorial Universidad de Costa Rica. 136 p.

BOZA, M.A. 1984. *Guía de los parques nacionales de Costa Rica.* Madrid, INCAFO. 128 p.

BOZA, M.A. 1992. *Parques nacionales; Costa Rica; national parks.* Madrid, INCAFO. 333 p.

BOZA, M.A. 1993. *Conservation in action: past, present and future of the national park system of Costa Rica.* Conservation Biology 7(2):239-247.

BUSSING, W.A. 1987. *Peces de las aguas continentales de Costa Rica.* San José, C.R., Editorial de la Universidad de Costa Rica. 271 p.

CAMPOS, M. 1992. *Proyecto de Conservación y Desarrollo Arenal; diagnóstico sectorial biológico.* San José, C.R., Ministerio de Recursos Naturales, Energía y Minas. 116 p.

CASTRO B. 1996. *Áreas de Conservación y sus Parques Nacionales.* San José. 68 p.

CASTRO, L. 1997. *Comunicación personal.* Heredia, C.R., Universidad Nacional.

CEVO, J.H. 1994. *Recomendaciones básicas a partir de los principales rasgos ambientales del río Para Grande.* San José, C.R., Universidad Latinoamericana de Ciencia y Tecnología. 66 p. (Informe técnico).

CHAVARRÍA, M.M. 2003. *Comunicación personal.* Guanacaste, C.R., Parque Nacional Santa Rosa.

CHAVERRI, A. 1979. *Análisis de un sistema de reservas biológicas privadas en Costa Rica.* Tesis de M. Sc. Universidad de Costa Rica. 279 p.

CHAVEZ, S. 1995. *Area de Conservación Tempisque: evaluación de los recursos culturales.* San José, C.R., Universidad de Costa Rica. 42 p.

CHAVEZ, S. 1995. *Evaluación del estado de los recursos culturales del Area de Conservación Arenal.* San José, C.R., Universidad de Costa Rica. 38 p.

CHAVEZ, S. 1995. *Evaluación del estado de los recursos culturales del Area de Conservación Pacífico Central.* San José, C.R., Universidad de Costa Rica. 22 p.

CHAVEZ, S. 1997. *Comunicación personal.* San José, C.R., Universidad de Costa Rica.

CHAVEZ, S.; FONSECA, O. & BALDI, N. 1996. *Investigaciones arqueológicas en la costa Caribe de Costa Rica, América Central.* Revista de Arqueología Americana no. 10:40-45.

CORNELIUS, S.E. 1981. *Status of sea turtles along the Pacific coast of Middle America.* In BJORNDAL, K.A., ed. Biology and Conservation of sea turtles. Washington, DC, Smithsonian Institution Press. p. 211-219.

CORRALES, F. & ODIO, E. 1990. *Junquillal, golfo de Santa Elena; un sitio costero del polícromo tardío.* San José, C.R., Museo Nacional. 12 p.

COSTA RICA. MINISTERIO DEL AMBIENTE Y ENERGÍA. 2000. *Estrategia nacional de conservación y uso sostenible de la biodiversidad.* San José. MINAE. 82 p.

COSTA RICA. MINISTERIO DE RECURSOS NATURALES, ENERGIA Y MINAS. 1991. *Estudio nacional de biodiversidad.* San José, C.R. Museo Nacional e Instituto Nacional de Biodiversidad. 209 p. (Documento preliminar)

COSTA RICA. MINISTERIO DE RECURSOS NATURALES, ENERGIA Y MINAS. 1992. *Propuesta para la creación del Parque Nacional Maquenque.* San José, C.R., Deppat S.A. p.irr.

COSTA RICA. MINISTERIO DEL AMBIENTE Y ENERGIA. 1997. *Situación actual de las areas silvestres protegidas de Costa Rica.* San José, C.R. 29 p. (Documento preliminar).

ESPINOZA, G. 2003. *Comunicación personal.* Puriscal, C.R., Fundación Ecotrópica.

FOURNIER, L.A. & GARCÍA, E.G. 1998. *Nombres vernaculares y científicos de los árboles de Costa Rica.* San José, C.R., Editorial Guayacán. 262 p.

FUNDEVI-ICT-SPN. 1994. *Plan general de manejo para la Reserva Natural Absoluta de Cabo Blanco.* San José, C.R., Fundación para la Investigación de la Universidad de Costa Rica. 67 p.

FUNDEVI-PROAMBI-ICT-SPN. 1995. *Plan general de manejo para el Area de Conservación Osa.* San José, C.R., Fundación para la Investigación de la Universidad de Costa Rica. 277 p.

GARCIA, R. 1997. *El corredor biológico y la biodiversidad de Tortuguero.* Heredia, C.R., Instituto Nacional de Biodiversidad. 14 p. (Documento interno de trabajo.

HERRERA, W. 1992. *Diagnóstico y zonificación del Bosque Nacional Diriá.* San José, C.R., Centro Científico Tropical. 86 p.

HUDSON, J. & PEARSON, E. 2003. *Comunicación personal.* Cahuita, C.R., Ministerio del Ambiente y Energía.

INBIO. 1997. *Arboles de la Reserva Absoluta Cabo Blanco: especies selectas.* Heredia, C.R., Instituto Nacional de Biodiversidad. 47 p.

JANZEN, D.H., ed. 1991. *Historia natural de Costa Rica.* San José, C.R., Editorial de la Universidad de Costa Rica. 822 p.

JANZEN, D.H. 1998. *Conservation análisis of the Santa Elena property, Peninsula Santa Elena, northwestern Costa Rica.* Philadelphia, University of Pennsylvania. 308 p.

JIMÉNEZ, C. 2002. *Comunicación personal.* San José, C.R., Universidad de Costa Rica.

JIMENEZ, Q. 1993. *Árboles maderables en peligro de extinción en Costa Rica.* Heredia, C.R., Instituto Nacional de Biodiversidad. 121 p.

JIMENEZ, Q. 1997. *Comunicación personal.* Heredia, C.R., Instituto Nacional de Biodiversidad.

JIMÉNEZ, Q. 2003. *Comunicación personal.* San José, C.R., Asamblea Legislativa.

JIMENEZ, Q. & GRAYUM, M.H. 1996. *La vegetación de la Reserva Biológica Carara.* Heredia, C.R., Instituto Nacional de Biodiversidad. 40 p. (Documento inédito).

JIMENEZ, R. 1997. *Comunicación personal.* Tilarán, C.R., Ministerio del Ambiente y Energía.

JIMENEZ-SAA, H. 1967. *Los árboles más importantes de la región de Upala, Costa Rica.* San José, C.R., Proyecto de Desarrollo Forestal Zonas Selectas, Informe Nº 3. 183 p.

KAPPELLE, M. 1996. *Los bosques de roble* (Quercus) *de la cordillera de Talamanca, Costa Rica.* Heredia, C.R., Instituto Nacional de Biodiversidad. 319 p.

LEÓN J. & POVEDA, L.J. 2000. *Nombres comunes de las plantas en Costa Rica.* San José, C.R., Editorial Guayacán. 870 p.

MADRIGAL, E. & GUEVARA, J. 1995. *Refugios de vida silvestre y humedales de Costa Rica.* San José, C.R., Ministerio de Recursos Naturales, Energía y Minas. 44 p.

MADRIGAL, E. 1997. *Comunicación personal.* San José, C.R., Ministerio del Ambiente y Energía.

MALAVASSI, L. 1985. *Areas de manejo en Costa Rica.* San José, C.R., Fundación de Parques Nacionales. p. irr.

MARTINEZ, S. 1997. *Comunicación personal.* San José, C.R., Ministerio del Ambiente y Energía.

MÉNDEZ, G. 1997. *Comunicación personal.* San José, C.R., Ministerio del Ambiente y Energía.

MEZA, T.A. 1988. *Areas silvestres de Costa Rica.* San José, C.R., Editorial Alma Mater. 111 p.

MONGE, L.D. 1980. *Reserva Forestal del Golfo Dulce, Osa, Puntarenas; inventario forestal preliminar.* Cartago, C.R., Instituto Tecnológico de Costa Rica. 49 p.

MORA, J.M. 2000. *Mamíferos silvestres de Costa Rica.* San José, C.R., Editorial Universidad Estatal a Distancia. 220 p.

MORALES, J.F. 1993. *Estudio preliminar de la flórula de la Zona Protectora La Cangreja,* Puriscal. Informe de Práctica de Especialidad. Cartago, Instituto Tecnológico de Costa Rica. 58 p.

MORALES, R., VARELA, C. & BELLO, G. 1984. *Zona Protectora La Carpintera; plan de manejo.* Turrialba, C.R., Centro Agronómico Tropical de Investigación y Enseñanza. 65 p.

MORILLO, J.M. 1989. *Clasificación del humedal de Mata Redonda y sugerencias para su manejo.* Tesis de Ingeniero en Ciencias Forestales. Universidad Nacional. 71 p.

MURILLO, W. 1984. *Descripción preliminar de las comunidades naturales de Costa Rica.* San José, C.R., Fundación de Parques Nacionales. 29 p.

NORMAN, D. 1998. *Common amphibians of Costa Rica.* San José, C.R., Asociación Conservacionista Yiski. 96 p.

ORTIZ, R. 1991. *Informe técnico sobre la importancia biológica de la Reserva Forestal de San Ramón.* San Ramón, C.R., Universidad de Costa Rica. 25 p.

ORTIZ, R. 1991. *Reserva Forestal de San Ramón; memoria de investigación.* San Ramón, Universidad de Costa Rica. 110 p.

PHILLIPS, P.L. 1993. *Vegetation types for the Osa Peninsula.* San José C.R., The Nature Conservancy, 16 p.

QUESADA, F.J.; JIMENEZ, Q.; ZAMORA, N.; AAGUILAR, R. & GONZALEZ, J. 1997. *Arboles de la península de Osa.* Heredia, C.R., Instituto Nacional de Biodiversidad. 411 p.

QUESADA, R. 1986. *Potencial turístico del Parque Nacional Isla del Coco.* Tesis de Diplomado. Colegio Universitario de Cartago. 378 p.

RAMÍREZ, S.E. 1996. *El Area de Conservación Llanuras del Tortuguero; su paisaje y su gente: una mirada introspectiva.* Guápiles, C.R., ACTo. 133 p.

RAMSAR. 2003 *Costa Rica names high-altitude peatlands as its 11th Ramsar site.* Gland, Suiza, Ramsar Convention Bureau. <http://www.ramsar.org/w.n.costarica_talamanca#span>.

RANCHO MASTATAL. 2003. <http://www.ranchomastatal.com>

ROJAS, L. 1997. *Comunicación personal.* San José, C.R., Ministerio del Ambiente y Energía.

ROMERO, J.C. 1989. *Definición, manejo y desarrollo de zonas de amortiguamiento; un estudio de caso en Costa Rica.* Tesis de M. Sc. Centro Agronomico Tropical de Investigación y Enseñanza. 304 p.

SAENZ, R.; FLORES, E.; CEVO, J.H. & MAGALLON, F. 1975. *Los tómbolos Catedral y Uvita.* Revista Geográfica de América Central no. 2:80-86.

SÁNCHEZ, R. 2000. *Reserva Biológica Alberto Manuel Brenes.* San José, C.R., Ministerio del Ambiente y Energía. 50 p.

SANDOVAL, L.F.; SÁENZ, R.; ACUÑA, J.; CASTRO, J.F.; GÓMEZ, M.A; LÓPEZ, A.; MEDEROS, B.; MONGE, A. & VARGAS, J.E. 1982. *Mapa geológico de Costa Rica.* San José, C.R., Ministerio de Industria, Energía y Minas. Esc. 1:200.000. Color.

SOTO, R., ed. 1992. *Evaluación ecológica rápida de la península de Osa.* San José, C.R., Fundación Neotrópica. 135 p.

TABASH, F.A. 1997. *Comunicación personal.* Puntarenas, C.R., Universidad Nacional.

STILES, F.G. & SKUTCH, A.F. 1989. *A guide to the birds of Costa Rica.* Ithaca, Cornell University Press. 511 p.

STOLZENBURG, W. 2002. *Raptor-rich Talamanca.* Birdscapes (EE.UU.) Otoño 2002:35.

TOSI, J.A. 1969. *Mapa ecológico.* San José, C.R., Centro Científico Tropical. Esc. 1:750.000. 1 p. Color.

TOURNON, J. & ALVARADO, G. 1997. *Mapa geológico de Costa Rica.* San José, C.R., Editorial Tecnológica de Costa Rica. 79 p.

VAUGHAN, C.; McCOY, M.; FALLAS, J.; CHAVES, H.; BARBOZA, G.; WONG, G.; CARBONELL, M.; RAU, J. & CARRANZA, M. 1996. *Plan de manejo y desarrollo del Parque Nacional Palo Verde y Reserva Biológica Lomas Barbudal.* Heredia, C.R., Universidad Nacional. p. 70-71.

VIDAL, G. 1972. *Mi mujer y mi monte.* San José, C.R., Ministerio de Cultura, Juventud y Deportes. 100 p.

WEBER, H. 1959. *Los páramos de Costa Rica y su concatenación fitogeográfica con los andes suramericanos.* San José, Instituto Geográfico de Costa Rica. 71 p.

WESTON, J.C. 1992. *La Isla del Coco.* San José, C.R., Trejos. 311 p.

WILSON, D.E. & REEDER, D.M. 1993. *Mammalian species of the world: a taxonomic and geographic reference.* 2nd. ed. Washington DC, Smithsonian Institution Press. 1206 p.

ÍNDICE DE ESPECIES / INDEX OF SPECIES

FOTOGRAFÍAS / PHOTOGRAPHS

J. Abaurre: 15, 60

J. Andrada/J. A, Fernández: 77, 124, 148

J. M. Barrs: 118, 121, 167, 213, 214, 217

L. Blas Aritio: 12, 79, 178, 180, 181, 205, 206, 207

J. y J. Blassi: 34, 53, 128, 129, 158, 174

F. Candela y H. Geiger: 103, 133, 134, 138, 212, 215

J. A. Fernández: 19, 23, 28, 29, 41, 56, 96, 99, 118, 119, 122, 125, 126, 127, 132, 133, 154, 157, 159, 161, 168, 192, 210, 211

H. Geiger: 128, 129, 133, 135, 216

J. L. González: 22

J. L. G. Grande: 179

A. Ortega: 10, 13, 14, 18, 21, 22, 25, 30, 31, 33, 35, 38, 42, 43, 46, 51, 52, 55, 56, 59, 60, 62, 68, 72, 74, 77, 86, 95, 132, 133, 144, 145, 147, 149, 163, 164, 165, 172, 174, 186, 202,

S. Saavedra: 51

A. Vázquez: Portada y contraportada / Cover and backcover, 10, 11, 14, 15, 16, 17, 19, 20, 21, 24, 26, 27, 31, 32, 33, 36, 37, 39, 40, 43, 44, 45, 46, 47, 48, 49, 50, 53, 54, 55, 57, 58, 59, 61, 62, 63, 64, 65, 66, 67, 69, 70, 71, 73, 75, 76, 78, 80, 81, 82, 83, 84, 85, 86, 87, 88, 89, 90, 91, 92, 93, 94, 95, 96, 97, 98, 100, 101, 102, 104, 105, 106, 107, 108, 109, 110, 111, 112, 113, 114, 115, 116, 117, 120, 123, 126, 127, 130, 131, 134, 135, 136, 137, 138, 139, 140, 141, 142, 143, 144, 146, 148, 149, 150, 151, 152, 153, 155, 156, 157, 160, 161, 162, 164, 165, 166, 168, 169, 170, 171, 173, 175, 176, 177, 182, 183, 184, 185, 187, 188, 189, 190, 191, 192, 194, 195, 196, 197, 198, 199, 200, 201, 203, 204, 206, 208, 209, 211,

N. J. Windevoxhel Lora: 152

Koky Aragón: 193